Ces maux qui dérangent...

Catalogage avant publication de Bibliothèque et Archives Canada

Langlois, Richard, 1959-

    Ces maux qui dérangent-- : vivre et côtoyer la dépression, la maniaco-dépression et les troubles de santé mentale

    Comprend des réf. bibliogr.

    ISBN 978-2-89436-180-1

    1. Maladies mentales - Aspect social. 2. Malades mentaux - Réadaptation. 3. Malades mentaux - Relations familiales. 4. Langlois, Richard, 1959- . I. Titre.

    RC455.L35 2007   362.2'0422   C2007-940413-8

Nous reconnaissons l'aide financière du gouvernement du Canada par l'entremise du Programme d'aide au développement de l'industrie de l'édition (PADIÉ) pour nos activités d'édition.

Nous remercions la Société de développement des entreprises culturelles du Québec (SODEC) pour son appui à notre programme de publication.

Révision linguistique : Jocelyne Vézina et Amélie Lapierre

Infographie : Marjorie Patry

Mise en pages : Marjorie Patry

Éditeur : Les Éditions Le Dauphin Blanc inc.
           C. P. 55, succ. Loretteville
           Québec (Québec) G2B 3W6
           CANADA
           Tél. : (418) 845-4045   Téléc. : (418) 845-1933
           Courriel : dauphin@mediom.qc.ca
           Site Web : www.dauphinblanc.com

ISBN : 978-2-89436-180-1

Dépôt légal : 1er trimestre 2007
             Bibliothèque nationale du Québec
            Bibliothèque nationale du Canada

Imprimé au Canada

Richard Langlois

Ces maux qui dérangent...

Vivre et côtoyer la dépression, la maniaco-dépression et les troubles de santé mentale

Le Dauphin Blanc

Du même auteur

Le fragile équilibre, Le Dauphin Blanc, 2004.

Table des matières

Mes souhaits et mes remerciements

Depuis mon épisode de maladie bipolaire et la sortie du livre *Le fragile équilibre*, la vie n'a cessé de me surprendre quotidiennement. J'ai le plaisir de côtoyer de nombreux groupes de personnes intéressées par le sujet partout au Québec et j'y trouve là de grandes satisfactions. Je reçois aussi de nombreux courriels qui permettent de garder mon esprit bien alerte et de comprendre toujours un peu plus les répercussions que peuvent avoir les troubles de santé mentale chez de nombreux individus. Vous le savez probablement comme moi, les besoins sont fort importants en regard de la démystification des maladies mentales, du rétablissement et de la prévention. Je souhaite que ce volume puisse contribuer à nous faire cheminer encore un peu plus. J'aimerais aussi qu'il nous fasse prendre conscience de cette dure réalité de l'omniprésence de la maladie mentale dans nos sociétés et qu'il existe pour toutes les personnes concernées un espoir même dans les moments les plus sombres. Mon souhait ultime est que nos collectivités, à l'image de l'autruche, sortent la tête du sable et la secouent vigoureusement pour finalement apprivoiser ces maladies, se questionner sur leurs causes et agir positivement.

J'aimerais exprimer toute ma reconnaissance à ces personnes qui ont participé de près ou de loin à ce projet d'écriture. J'aimerais souligner plus particulièrement l'apport de M. André Forest et du Dr. Denis Audet dont vous pourrez apprécier les paroles en préface et en avant-propos. J'aimerais aussi saluer ces individus qui m'ont encouragé dans les moments parfois difficiles. Je ne pourrais passer sous silence cette équipe d'âmes qui m'accompagnent et qui m'ont grandement inspiré. Finalement, je désire vous confier que je suis toujours follement épris de cette formidable femme rencontrée à L'Isle-aux-Grues et avec laquelle je partage une multitude de moments d'affection. Vous pouvez imaginer ce que peut signifier l'appui d'une telle personne dans les hauts comme dans les bas de la vie. Je te dis donc merci Fabienne! et, bien discrètement à l'oreille, pour être bien certain que personne ne m'entende, je te dis je t'aime!

Préface

Mon premier contact virtuel avec Richard Langlois se fit à la lecture de son livre *Le fragile équilibre – Témoignage et réflexions sur la maniaco-dépression et la santé mentale.* J'y découvris un homme d'une transparence et d'une générosité exceptionnelles, témoignant de façon claire et honnête de son vécu de personne atteinte de maladie mentale.

À l'invitation de l'organisme qui m'emploie, il offrit une conférence publique intitulée *Du désarroi à l'espoir.* Il répondit aux questions des gens présents, comme il avait répondu à celles des membres de notre personnel et à celles des journalistes des médias électroniques régionaux tout au long de la journée. Ainsi, des centaines de personnes furent sensibilisées à la maladie mentale dans notre coin de pays, comme c'est le cas bien souvent lorsque Richard Langlois se présente quelque part.

Si l'on consulte *Le Petit Larousse*, on y définit ainsi le mot *mission* : « Devoir essentiel que l'on se propose ou rôle auquel on semble destiné, vocation. » Eh bien, c'est ainsi que je vois Richard Langlois. Non pas dans un rôle de prosélyte (nouveau converti à une foi religieuse), mais bien dans le rôle d'un citoyen engagé dans la sensibilisation de sa communauté aux maladies mentales et surtout au vécu des personnes qui en souffrent… et de celles qui les côtoient.

Travaillant dans ce domaine depuis quelques années, je suis également réjoui d'entendre une personne atteinte de maladie mentale capable d'exprimer avec autant de clarté son vécu… tout en étant sensible aux difficultés que sa situation peut faire vivre aux gens qui l'entourent. On a trop longtemps tenté d'opposer la souffrance des uns à celle des autres : il était temps que l'on se rende compte que dans ce difficile voyage, la personne et ses proches font de leur mieux, également confrontés à une destination et à un itinéraire inconnus et effrayants.

En ce sens, Richard Langlois, par son témoignage, réanime l'espoir dont nous avons tous besoin pour faire face à *Ces maux qui dérangent*.

Je le remercie de partager ainsi son vécu et ses réflexions sur la maladie et la santé mentale… et j'espère que la lecture de ce livre nous convaincra tous, comme intervenants, mais aussi comme individus et comme citoyens, que les problèmes de santé mentale ou la maladie mentale font partie des défis auxquels nous sommes confrontés et que chacun de nous a en sa possession une partie de leur solution.

André Forest,
psychologue
Directeur de l'association des proches de personnes
atteintes de maladie mentale de l'Estrie

*A*vant-propos

Pour avoir côtoyé Richard Langlois depuis deux ans, je peux affirmer qu'il est en excellente santé mentale. Vous allez me dire qu'il s'est tapé une manie psychotique, qu'il carbure au lithium, qu'une rechute est encore possible. J'en conviens. Des centaines de malades se présentent effectivement avec leur constellation de problèmes que la psychiatrie réussit à décrire en termes de catégories diagnostiques, de neurotransmetteurs et de récepteurs au menu du jour. Les recettes pour soigner sont bonnes, très bonnes même, mais pas infaillibles. Pourtant, la maladie n'est jamais virtuelle, elle frappe une personne qui doit composer avec ses gènes, son éducation et son environnement. Dans ce deuxième livre, avec sagesse, humour et générosité, Richard nous ramène au centre, à cette personne. Tout comme le cœur et les reins, le cerveau a le droit d'être malade, et d'être soigné, pendant que l'âme reste pure.

Denis Audet
médecin

Introduction

Je ne croyais jamais que la vie allait m'entraîner sur la route que j'emprunte actuellement. Les événements tragiques et les épisodes de maladie majeurs mettent un frein au plaisir de vivre, à ce que l'on attend d'une vie heureuse. Certains s'en remettent et d'autres demeurent enfermés dans un état où la lumière ne refera jamais son apparition.

Côtoyer des personnes vivant avec des troubles de santé mentale tout en étant soi-même diagnostiqué « bipolaire » (maniaco-dépressif) fait sans doute réfléchir. Il en est de même lorsque l'on rencontre des parents, des amis, des collègues de travail ou d'études connaissant ces gens vivant avec ces troubles. Et que dire de ces individus travaillant quotidiennement avec eux? Non, je ne tenterai surtout pas de tout expliquer, car il s'agit là d'un exercice futile. Je n'ai surtout pas la prétention d'avoir réponse à tout. Cependant, je sais que la recherche d'un soleil ou d'un phare, symboles d'espoir, s'avère une condition menant à une vie transformée.

Les Martin Gray et Viktor Frankl de ce monde existent. Des exemples de résilience se trouvent tout autour de nous.

En regard des troubles de santé mentale, les Lincoln, Péladeau, Trudeau (Margaret) et autres sont des inspirations sur lesquelles je porte mon attention. De nombreuses personnes affectées par ces troubles omniprésents dans nos sociétés modernes se reprennent en main et mènent des vies heureuses. Ils, elles, sont ESPOIR.

En dépit du fait que nous nagions dans un sujet encore fort tabou, nous avons avantage à nous appuyer les uns les autres et à retrousser nos manches afin de nous donner les meilleures conditions possibles. L'amélioration de notre santé mentale et de notre mieux-être n'est pas le fruit du hasard. Prenons le temps de réfléchir ensemble!

Le portrait de famille

Embouteillage monstre

> « (JL) – Un individu suicidaire a créé un embouteillage monstre, hier après-midi, lorsqu'il a menacé de se jeter du pont Pierre-Laporte. Le pont a d'ailleurs dû être fermé dans les deux directions pendant près d'une demi-heure. L'individu s'est finalement rendu aux policiers après avoir discuté quelques minutes avec eux. »

Journal de Québec, août 2005

La plupart d'entre nous avons lu ce genre de nouvelle à un moment où l'autre de nos vies. J'ouvre le téléviseur et l'on nous parle de cet homme disant avoir en sa possession une bombe alors qu'il se trouve à bord d'un avion en Floride. Son épouse crie aux agents de sécurité qu'il est maniaco-dépressif et qu'il a oublié de prendre sa médication. Il sera descendu quelques minutes plus tard. Et ça ne s'arrête pas là. À ce même journal télévisé, nous apprenons aussi l'histoire de cet homme de Saint-Georges menaçant de se suicider, la corde au cou, sur le pont de la rivière Chaudière. Tout ça à deux jours de la commémoration (25e anniversaire) de la mort de John Lennon. Que se passait-il dans la tête de Mark David Chapman?

Les faits sont percutants et le jugement souvent sévère. N'étais-je pas moi-même de ces personnes au jugement facile avant d'être affligé par un trouble de santé mentale? Les exemples sont fort nombreux et ils troublent. « Tu parles d'un fou! », « tu parles d'une détraquée! » Loin de moi pourtant l'idée de disculper qui que ce soit. Lors de l'épisode de maladie que je vous ai décrit dans mon premier volume (*Le fragile équilibre*), je vous racontais dans quelle mesure, lors de la psychose, je vivais dans un autre monde. Lorsqu'un jour j'avais inversé le rouge et le vert dans ma perception, j'ai « brûlé » un feu de circulation à 14 h, sur une artère achalandée de la ville de Québec. Si j'avais heurté un autre véhicule, comment aurions-nous décrit cette scène? Quelle lecture faisons-nous maintenant des événements cités plus haut?

꧁

Qui sommes-nous pour juger maintenant?

꧁

Eh oui, les troubles de santé mentale dérangent et continueront de déranger tant et aussi longtemps que nous vivrons des stress majeurs. Il est donc nécessaire de distinguer la personne de la maladie ou du trouble de santé mentale qui l'afflige. Il m'apparaît essentiel de détacher cette étiquette rapidement apposée. Nous vivons dans un monde rempli de gens n'ayant aucun diagnostic particulier et qui, permettez-moi de le penser, ont des comportements parfois bien douteux. Nous vivons aussi avec des personnes qui ont un diagnostic ou non lié à un trouble de santé mentale et qui ont un excellent jugement, une belle conscience et qui cherchent à comprendre les événements avec objectivité. Malheureusement, dans la maladie, des événements tristes et lourds de conséquences surviennent sans que l'on comprenne ce qui se passe. La majorité des gens ne sont pas sensibilisés à ces facteurs liés à la fragilité du cerveau. Pouvons-nous l'être lorsque nous courrons tout le temps? Et que dire du rôle joué par nos médias d'information. On rapporte les faits (ou davantage, une partie des faits), quelquefois très spectaculaires, mais malheureusement on ne sait pas toujours de quoi on parle et après la description de l'événement, on ajoutera que la personne semblait troublée mentalement. Nous serons toujours confrontés à de tels événements et impuissants devant les faits. Ajoutons à cela l'alcoolisme, la toxicomanie, et les autres dépendances, et nous obtenons là un magnifique cocktail explosif. La co-morbidité ou le double diagnostic est le lot de bien des personnes bipolaires par exemple.

Je constate donc une réalité fort simple. Nous vivons et vivrons toujours des drames liés aux troubles de santé mentale. À l'heure actuelle, ils m'apparaissent inévitables.

Ce qui trouble davantage, c'est que les facteurs de risques semblent augmenter année après année. Nos milieux de travail hurlent et, encore plus, on se bute à de nouvelles réalités liées à la mondialisation. À titre d'exemple, l'Organisation mondiale de la santé nous avise que :

« En 2020, la dépression deviendra la deuxième cause d'invalidité dans le monde, juste après les maladies cardio-vasculaires. »

NMH Communications,
Organisation mondiale de la santé, Genève, 2001

Pouvons-nous rester insensibles devant une telle réalité. Pouvons-nous rester là, les bras croisés, à ne rien faire… ou à trop en faire? La prévention en santé mentale est certes une clé. Mais par où commencer? Si nous arrivions à déclencher un réel mouvement de prévention et de sensibilisation en santé mentale, nous pourrions à tout le moins atténuer les risques de déclenchement des maladies. Sommes-nous réellement en mesure d'y arriver? Ce sont les fondements mêmes de nos sociétés qui sont mis en cause. Aurons-nous le désir et le vouloir suffisants pour nous confronter et passer à l'action? Nous n'éliminerons certainement pas tous les troubles de santé mentale, mais commençons par considérer que la situation actuelle est alarmante et qu'elle commande de sévères redressements. Il y va de la qualité de vie de l'ensemble des citoyens, d'un ensemble devenu « planétaire ».

Cerner le sujet

Avant d'aller plus loin, prenons le temps de dresser un portrait de cette situation. Les résultats de nombreuses études et recherches récentes qui sont effectuées partout dans le monde nous sont aujourd'hui disponibles. Prenons le temps d'observer les données suivantes :

- **À propos des troubles de santé mentale sur notre planète**

  - « À travers le monde, 450 millions d'individus sont touchés par les troubles mentaux, neurologiques et comportementaux. »

    NMH Communications,
    Organisation mondiale de la santé, Genève, 2001

  - « Environ 873 000 personnes meurent par suicide chaque année. »

    Organisation mondiale de la santé, Genève, 2006

  - « Le suicide est la première cause de décès parmi les Chinois âgés de 20 à 35 ans, dans un pays où on estime à 250 000 le nombre de personnes qui mettent fin à leurs jours chaque année. »

    Agence Reuters
    (site Internet : www.chine.blogs.liberation.fr/pekin/2005/07/suicide.html)

  - « Les réclamations touchant la santé mentale forment la catégorie dont les coûts liés à l'incapacité augmentent le plus rapidement au Canada. Les estimations confirment qu'elles comptent pour environ 30 à 40 pour cent des demandes de règlement enregistrées par les principaux assureurs et employeurs au Canada. Les trois quarts des employeurs affirment que les problèmes de santé mentale sont la cause principale des demandes de règlement à court terme et à long terme au sein de leur organisation. »

Texte intitulé *La santé mentale et le milieu de travail*
(site Internet : http://www.safety-council.org/CCS/sujet/SST/sante-m.html)
Conseil canadien de la sécurité

• À propos de la dépression

- Dix sept pour cent des personnes seront atteintes de dépression à un moment donné au cours de leur vie.

- Chaque année, 5 % des personnes sont atteintes de dépression.

Association Revivre
(site Internet : www.revivre.org)

• À propos du trouble bipolaire

- Près de 4 % de la population souffrent d'un trouble bipolaire (selon le Dr Brian Bexton, cette statistique tend à augmenter, car plusieurs personnes vivant avec un diagnostic de dépression sont en fait des personnes bipolaires).

- Les troubles bipolaires se retrouvent dans tous les groupes de la société et à travers tous les pays du monde.

Association Revivre
(site Internet : www.revivre.org)

- **À propos de la schizophrénie**

  - On estime à environ 1 % de la population le nombre de personnes qui présenteront des manifestations de schizophrénie.

Mens-Sana
(site Internet : www.mens-sana.be)

- **À propos de l'épuisement professionnel**

  - Soixante-dix-neuf pour cent des employeurs canadiens disent que la santé mentale est leur principale cause d'invalidité.

Journal *Les Affaires*, 2004
(Fondation des maladies mentales)

  - Les coûts annuels directs et indirects reliés à la santé mentale pour les sociétés canadiennes sont de 33 milliards de dollars.

Global Business and Economic Roundtable
on Addiction and Mental Health, 2004
(Fondation des maladies mentales)

- **À propos des niveaux de stress à la hausse**

  - Il est reconnu qu'un individu sur trois est susceptible de traverser, un jour, une période d'instabilité émotionnelle.

  - Près de quatre personnes sur dix affirment ne pas savoir comment s'y prendre pour acquérir une bonne santé mentale.

  - Environ 10 % des jeunes de quatorze à dix-huit ans vivent une dépression sévère, mais plus de 70 % d'entre eux ne sont pas diagnostiqués.

  - Le stress affecte 40 % de la population, c'est plus que le rhume. Selon un sondage Compass, les principales sources de stress des Québécois sont :

1.	Les problèmes financiers	55 %
2.	Le travail	39 %
3.	Les ennuis de santé	28 %
4.	Les responsabilités parentales	25 %
5.	La peur de perdre son emploi	22 %

    Association canadienne pour la santé mentale

- *À propos du suicide au Québec*

  - Depuis 1990, le problème du suicide prend de l'ampleur au Québec. Les taux de suicide sont passés de

14,8 habitants sur 100 000 pour la période de 1976-1978 à 19,1 pour celle de 1999-2001.

Centre de prévention suicide les Deux Rives
(site Internet : www.prevention-suicide.qc.ca)

• Le Québec occupe le troisième rang mondial du taux le plus élevé de mortalité par suicide chez les hommes, et chez les femmes, il se classe sixième.

Centre de prévention suicide les Deux Rives
(site Internet : www.prevention-suicide.qc.ca)

*Nous sommes nombreux à être affectés
par les troubles de santé mentale.*

Nous sommes tous concernés!

*Pourquoi ne serions-nous pas nombreux
à nous en remettre et, surtout, à les prévenir?*

À l'heure des changements climatiques et de la grippe aviaire, les troubles de santé mentale sont maintenant omniprésents partout sur la planète. Ils touchent tout autant les hommes que les femmes, les gens riches comme les gens pauvres, les personnes scolarisées comme celles qui le sont moins. Quand ce n'est pas nous-même qui est atteint, c'est quelqu'un de notre entourage, un collègue de travail ou d'études, un parent, un ami… ou plusieurs. La personne qui se dit non-concernée le deviendra assurément à moins de jouer à l'autruche.

Troublant n'est-ce pas? Nous en savons maintenant plus sur ces troubles qu'autrefois. Nous avons tendance à en parler davantage, maintenant, ce qui ne veut pas dire que le sujet ne demeure pas encore fondamentalement tabou. On identifie plusieurs facteurs favorisant l'apparition des troubles de santé mentale. Ils sont de nature biologique, psychologique, sociale, génétique. Nous pouvons contrôler en partie certains de ces facteurs, mais force est de reconnaître que nous demeurons impuissants devant d'autres telles les sources de stress majeurs (deuil, perte d'emploi, divorce et autres).

On aime penser que l'on puisse enrayer ces maladies, améliorer le mieux-être global et faire baisser considérablement nos taux de suicide. Les statistiques présentées précédemment montrent clairement combien la tâche est colossale. Mais avant de nous y mettre, que diriez-vous si nous prenions le temps de réfléchir... oui, prendre le temps.

Je me souviens

Comme je le fais quotidiennement, je parcours le journal afin de me tenir au courant de ce qui se passe sur le plan de l'information. Aujourd'hui, Sophie, 26 ans, avec l'inscription : « Envoyez vos dons au Centre de prévention du suicide. » C'était devenu une information quasi routinière que l'on pouvait lire chaque semaine. Aujourd'hui, c'est en partie pour cette jeune femme que j'écris encore. C'est aussi pour son entourage qui porte une blessure vive.

Je ne juge plus ces gens comme je l'ai déjà fait dans le passé. Je connais cette grande noirceur. J'y suis passé et m'en suis sorti… jusqu'à maintenant. Pour l'avenir, pas de garantie, que des actions qui m'aident à vivre une vie agréable et à ne pas sombrer à nouveau. Ça se passe donc dans l'ici et le maintenant. Le suicide me préoccupe toujours, mais je ne peux me laisser envahir. Quand je m'y arrête, je chambranle, je me demande toujours pourquoi je n'ai pas cédé malgré mon vécu dans la grande noirceur.

Et il y a mon ami Éric, ce grand ami de jeunesse qui souffre et qui ne la voit pas cette lumière. Je n'aurais jamais cru qu'il me dise un jour : « Mon plan est prêt! ». Je me sens désarmé, complètement désarmé devant cette souffrance et ces fuites (dépendances à l'alcool, aux drogues, aux médicaments, au jeu et encore…) qui trouvent habituellement leurs racines dans l'histoire familiale et dans l'éducation de l'enfant.

∽

Je sais très bien que le suicide constitue la dernière porte de sortie pour beaucoup trop de gens qui sont malades. Il représente aussi un symptôme de façons de vivre et d'états d'âme qui doit nous interpeller socialement. Quand nous en sommes rendus à conclure des pactes de suicide sur Internet comme c'est actuellement le cas au Japon (et probablement dans d'autres pays), je ne peux que remettre en question les fondements mêmes de nos sociétés.

∽

Les conflits de valeurs

Les troubles de santé mentale dans notre monde entraînent nécessairement des conflits de valeurs. Que ce soit dans le milieu familial, au travail ou ailleurs, la présence de ces maladies engendre de façon non équivoque une cassure qui nous éloigne de ce que l'on considère comme notre monde idéal. Elles interfèrent et dérangent fortement. Du strict point de vue de la performance, elles causent une déstabilisation qui peut être aussi soudaine que prévisible. L'inconnu lié à cette situation favorise aussi l'apparition de préjugés. À un autre niveau, ces maladies du cerveau signifient l'opposition « mieux-être » par rapport à « mal-être ». C'est l'incompréhension accentuée par des taux de suicide fort importants et qui touchent toutes les couches et toutes les tranches d'âges de nos populations. En surplus, un nombre encore trop important d'individus entretiennent le fait que la personne atteinte fait preuve de faiblesse, ce qui vient en contradiction avec l'image « forte » qu'ils croient véhiculer. Nous passons constamment d'un extrême à un autre. Ces écarts dans les valeurs peuvent prendre différentes formes dont voici quelques exemples :

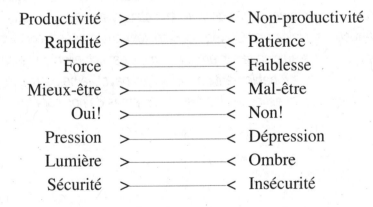

Productivité >	< Non-productivité
Rapidité >	< Patience
Force >	< Faiblesse
Mieux-être >	< Mal-être
Oui! >	< Non!
Pression >	< Dépression
Lumière >	< Ombre
Sécurité >	< Insécurité

Dans le monde du travail, bien des dépressions deviennent des *burnout*. Ce terme entraîne un lot de préjugés variant d'un collègue de travail à l'autre. Toutefois, il arrive que la personne étiquetée « burnout » jouisse d'un préjugé favorable en regard de la personne ayant un diagnostic de « dépression ». « Elle est épuisée et s'est donnée à fond jusqu'à atteindre le fond du baril ». Être étiqueté « dépressif ou dépressive » entraîne une tout autre image. Les milieux sensibilisés comprendront, mais les autres milieux où peu d'informations circulent auront tendance à voir la « faiblesse » chez la personne en question. Que percevons-nous maintenant quand nous entendons ou voyons les termes *troubles anxieux*, *trouble de personnalité limite*, *agoraphobie*, *anorexie* ou *schizophrénie?* Des mots dont l'image dépend simplement de nos expériences de vie et de notre recherche sérieuse, ou non, d'informations justes.

Bien souvent, nous ne voudrions pas être associés de près ou de loin à ces marques dites « de faiblesse ». Les troubles de santé mentale dérangent beaucoup. Vite, on doit les cacher, vite, on doit les évacuer! Cette façon de procéder touche beaucoup de gens... par peur probablement, par ignorance aussi. Je vais vous raconter une expérience. Un sujet bien chatouilleux, s'il en est un, est le vocabulaire utilisé lorsqu'il est question de trouble de santé mentale. Il change, évolue, présente une vision différente selon les personnes. Certains termes sont bannis par des groupes d'intervenants. De nouveaux termes apparaissent dans d'autres milieux. Lors d'un vernissage qui inaugurait une exposition dont les œuvres avaient été réalisées par des personnes dites « atteintes », on m'a demandé de prendre la parole au nom de ceux-ci. Le médecin à la retraite qui était responsable du

groupe est venu me présenter une consigne bien particulière :
« S'il vous plaît, M. Langlois, ici, il ne faut pas employer les
termes *maladie mentale* et *santé mentale*. Bien intéressant
pour un auteur dont le sous-titre de son volume comprend
les termes *santé mentale*. Très surpris, je me suis demandé
où on voulait en arriver avec cette vision… ou ce manque
de vision. Je me suis exécuté et me suis surpris à ne pas
prononcer ces mots pour éviter de créer des tensions. J'étais
néanmoins déçu et, surtout, confronté. Dans nos différents
milieux, des mots chatouillent et sont prononcés de façon
différente. La *psychose maniaco-dépressive* n'est-elle pas
devenue le *trouble bipolaire* pour dépeindre une même
réalité? Bien sûr, l'image du mot *maniaco* y était sans
doute pour quelque chose. Je trouve la terminologie *trouble
bipolaire* plus appropriée, mais pour moi, c'est toujours
cette même dure réalité. Quand je sais que ce sont la manie
et la dépression qui sont les principales composantes de
cette maladie, il ne me fait pas peur d'employer *maniaco-
dépression*. Enfin…

À tout événement, la situation semble évoluer bien
lentement… mais elle évolue. Probablement parce que plus
de personnes sont maintenant concernées, ce qui a pour
conséquence de faire véhiculer plus d'informations. Plus
de personnes cherchent aussi des solutions. Hélas, d'autres,
moins sensibilisées et se croyant bien à l'abri, vivent dans
l'inconscience. On parlera de « préjugés » et de « tabous ».
Que faire? Se laisser écraser ou retrousser ses manches?
S'apitoyer ou voir les choses positivement?

Vous connaissez mon choix!

La conscience de l'être : qui suis-je?

Avec le développement d'ouragans et de typhons fort puissants dans les dernières années, je me suis mis à les observer avec fascination. Il n'est pas rare que je prenne le temps de suivre leurs parcours en observant les cartes satellite sur Internet. Quelle puissance! et on se dira tous : « Quelle dévastation! ». Sans doute vous attendrez-vous à ce que je vous parle de réchauffement climatique comme facteur de stress supplémentaire en nos temps modernes. Sans doute bien intéressant!

Certaines lectures m'ont convaincu, avec le temps, que chacun et chacune d'entre nous était en soi un ouragan. Oublions pour un instant les effets du passage de telles tempêtes. Observons sa formation. Issu d'une tempête tropicale, l'ouragan prend naissance par les vents qui atteignent minimalement les 120 km/h. On remarque aussi cette forme ronde avec en son centre un cœur que l'on appellera « œil de l'ouragan ». Mais pourquoi viens-tu nous parler de cela ici? Simplement parce que nous sommes tous, chacun et chacune d'entre nous, des ouragans. Continuons notre propos. Cet œil constitue ce que chacun d'entre nous est, c'est-à-dire un trou vide. Sans doute difficile pour l'estime de soi! Cet œil est doté d'une puissance formidable. Par ce flux d'énergie se greffera tout ce qui fait ce que nous devenons au fil du temps. Suivant les aspects génétiques et héréditaires, souvent plus présents que nous voudrions le croire, nous y grefferons les influences parentales que nous désirons retenir. Des facteurs d'influence tels les grands amis, nos enseignants et professeurs signifiants, ces auteurs dont certains écrits nous « allument », des expériences particulières dans nos milieux de travail, de loisir et lors de voyages. À tout cela s'ajoute ces magnifiques leçons que nous tirons de certains événements agréables ou difficiles. J'ose alors penser que je suis une synthèse en évolution qui s'alimente de tout ce qui se vit au quotidien et qui laisse tomber en cours de route de vieilles croyances ou idées du passé qui seront remplacées par d'autres. Fondamentalement, je suis un trou vide, un œil, un œil qui cligne dans la conscience... ou non.

Que se passe-t-il maintenant lorsqu'un stress majeur (la terre ferme) arrive sur le chemin de l'ouragan? Ce dernier se désorganise et perd progressivement sa puissance pour devenir... une dépression. Quelle belle image pour représenter cette réalité de nos maladies. Un bulletin météo pour tenter de voir clair. N'est-ce pas fascinant... et réel?

Des sources de stress plus qu'il n'en faut

« Le mot *stress* provient du mot latin *stingere* : mettre sous tension. »

(site Internet : www.sante.cc)

Voilà qui nous éclaire déjà. Selon l'*Encyclopædia Universalis*, je tire une définition fort intéressante de ce même mot :

« Réaction de l'organisme à un agent d'agression ou à un traumatisme quelconque. En fait, *stress* tend, progressivement, à devenir synonyme d'*émotion*, le sens de ce dernier s'étant très affaibli. Il est employé aussi, dans un sens plus spécifique, pour désigner les tensions engendrées par des conflits internes non résolus ou des situations insolubles et provoquant des états d'anxiété, voire des états névrotiques. »

(site Internet www.sante.cc)

Les stress sont toujours plus présents dans nos vies. Il semble que la vie dans nos sociétés dites « modernes » se caractérise par des tensions fréquentes qui minent la vie de nombreux individus. Le stress est pourtant une composante incontournable de notre quotidien. Vous et moi vivons des stress tous les jours. Il y a ceux qui sont en lien avec la condition humaine. On y ajoute aujourd'hui ceux qui sont déclenchés par nos conflits de valeurs et par notre désir toujours plus important de consommer et de posséder davantage. Que dire de nos luttes de pouvoir dans nos entreprises et dans nos organisations? Que penser de la surcharge de travail et du harcèlement dans nos milieux de travail? Comme si ce n'était pas suffisant, nous sommes constamment « bombardés » par les conséquences de la mondialisation, de l'efficacité de nos réseaux de communication et des plus récentes technologies.

Le portrait de la situation semble fort inquiétant et je crois que l'on ne pourra jouer à l'autruche encore bien longtemps. Les nombreux cas de maladie dont celles du cerveau qui se développent parallèlement ou à la suite d'une accumulation anormale de stress et de l'apparition de stress majeurs doivent nous préoccuper. Mais, quels sont ces stress ou sources de stress, devrais-je dire?

L'échelle de Holmes

Nous sommes nombreux à avoir étudié, au milieu des années 70, cette échelle présentant les différents stress pouvant se vivre à un moment où l'autre de nos vies. Une valeur numérique accolée à chacun des facteurs nous permettait de dresser un bilan et d'évaluer nos niveaux de stress. Histoire de nous rappeler de bons souvenirs (quoique toujours très actuels), je vous suggère de revoir cette liste maintenant et de faire votre propre bilan :

Échelle d'événements de la vie du Dr Thomas H. Holmes[1]

ÉVÉNEMENTS

Décès de son conjoint	100
Divorce	73
Séparation	75
Emprisonnement	63
Décès d'un proche (famille)	63
Maladie ou blessure personnelle	53
Mariage	50
Congédiement	47
Réconciliation conjugale	45
Retraite	45
Changement dans la santé ou la conduite d'un proche	44
Grossesse	40
Problèmes sexuels	39
Nouveau membre dans la famille	39
Changement dans son travail	39
Changement de situation financière	38
Décès d'un ami	37
Changement de profession ou de métier	36
Dispute avec son conjoint	35
Hypothèque ou prêt de plus de 10 000 $	31
Saisie d'une hypothèque ou d'un prêt	30
Changement de responsabilités au travail	29
Départ d'un enfant de la maison	29
Problèmes avec sa belle-famille	29

---

1. Kenneth Lamott, *Escape from stress*, Berkley Windhover Ed., 1975, (La prévention du burnout).

Réalisation majeure sur le plan professionnel	28
Début ou arrêt de travail du conjoint	26
Début ou fin d'études	26
Changement dans ses conditions de vie	25
Modification de ses habitudes de vie	24
Problèmes avec son patron	23
Changement dans ses conditions ou ses heures de travail	20
Changement de résidence	20
Changement d'école	20
Changement dans les loisirs	19
Changement dans les pratiques religieuses	19
Changement d'activités sociales	18
Hypothèque ou prêt de moins de 10 000 $	17
Changement d'habitudes de sommeil	16
Changement dans les habitudes de réunions de famille	15
Changement d'habitudes alimentaires	15
Vacances	13
Temps des Fêtes	12
Infractions mineures à la loi	11

INTERPRÉTATION DE VOS RÉSULTATS

Si la somme totale de vos points **excède 300**, vous avez 80 % des chances de devenir malade au cours des deux prochaines années. Votre niveau de tolérance de l'anxiété est surchargé.

Si vos résultats se situent **entre 150 et 300**, vous avez 57 % des chances de devenir malade au cours des deux prochaines années Prudence!

Si votre pointage total est de **moins de 150**, vous n'avez que 37 % des chances d'être malade durant les deux prochaines années.

Est-ce que faire cet exercice nous donne un portrait toujours réel au début de ce nouveau siècle? Sans doute en bonne partie, mais les trois dernières décennies nous ont fait parcourir encore beaucoup de chemin.

En matière de sources de stress, trois éléments particuliers retiennent mon attention quand vient le temps de nous observer, de nous regarder dans le miroir. Je remarque ce désir troublant et maladif de toujours consommer plus et de bien paraître. Ce désir entraîne habituellement la nécessité de disposer de plus de revenus et l'augmentation du crédit. Pour plusieurs, cela signifie aussi une augmentation du temps de travail pour se retrouver davantage « coincés ». Ajoutons l'addition du temps consacré au couple (quand il y en a encore…), à la famille, aux loisirs, à un autre cours pour se perfectionner, etc. Les désirs toujours plus grands, la recherche absolue du plaisir et celle du pouvoir entraînent nécessairement l'ajout de stress minant la qualité de vie de nombreuses personnes et favorisant l'apparition de maladies. Mais ce n'est pas tout…

Une si petite planète

Nous vivons sur une planète devenue toute petite. Aujourd'hui, nos voisins se trouvent en Australie, au Sénégal, en Iran, en Suède, en Argentine. Je me rappelle, il y a quelques années, alors que je travaillais pour un magnifique site touristique de la région de Québec, il m'arrivait de communiquer avec des voyagistes d'Allemagne, de Taïwan, des États-Unis et de bien d'autres pays. En un temps record, je pouvais, par l'intermédiaire du courrier électronique de mon ordinateur, communiquer avec les personnes-ressources de différentes compagnies. Quand je m'y arrête, je trouve cette situation fascinante.

Nous vivons aujourd'hui dans une ère dite de « mondialisation ». C'est à la fois fascinant et inquiétant. Faire commerce avec les habitants d'autres pays est génial, lorsque les économies favorisent une relation gagnant-gagnant. Les questions concernant l'emploi s'avèrent nombreuses. La sécurité d'emploi semble devenir une notion remise en question à bien des endroits. Elle est aussi fort discutable en regard de la passion qui devrait normalement nous « allumer ». Heureux seront ceux et celles qui vivront la passion et la sécurité d'emploi... Qu'en est-t-il de la création et des pertes d'emploi? Ma vision du futur est brouillée. De nombreuses perturbations pointent à l'horizon. Il n'y a pas que les facteurs économiques ou liés au travail qui me préoccupent. La surpopulation et l'activité humaine déclenchant le réchauffement climatique sont des facteurs non négligeables dont on semble avoir perdu le contrôle. De nombreux chercheurs et environnementalistes nous rapportent que notre Terre souffre et que le réchauffement amorcé s'opère beaucoup plus rapidement que prévu. Les répercussions sont déjà nombreuses et risquent de s'accentuer. De façon globale, je ne crois absolument pas que nous soyons prêts à modifier nos modes de vie pour améliorer cette situation de façon significative. Tout au plus, quelques-uns parmi nous font des efforts notables (recyclage, utilisation responsable et restreinte de la voiture...). Il nous faudra faire bien davantage. Heureusement, il n'y a pas que du négatif dans cette problématique. Hubert Reeves nous dit :

« Dans la tempête, quand le navire menace de sombrer, les marins, oubliant leurs conflits et leurs querelles, s'unissent pour tenter de sauver le navire. La mobilisation humaine qui prend de l'essor aujourd'hui à l'échelle planétaire est déjà un élément positif de la crise contemporaine.

Prendre conscience de cette insertion des êtres humains dans cette odyssée cosmique donne un sens profond à l'existence. Après la disparition des idéologies sociales du XXe siècle, cette nouvelle cause est susceptible d'engendrer de nouveaux dynamismes, en particulier chez les jeunes. Elle provoquera, espérons-le, une prise de conscience de notre identité de Terriens, bien au-delà des nationalismes, des racismes et des sexismes.

La complexité et l'intelligence peuvent être viables. Cela dépend de nous! C'est là un message capital pour les générations à venir. »[2]

Les stress déclenchés à partir des problèmes environnementaux et de la mondialisation dans son ensemble commencent à peine à faire leur apparition. À quoi ressemblera cette situation dans cinq ans, dans dix ans, dans vingt ans? Comme nous venons de le constater, nous sommes tous grandement exposés à nombre de situations qui touchent la qualité de vie de l'ensemble des citoyens. Nous aurions pu aussi parler des écarts de richesse, de la famine présente dans de nombreux pays, de la grippe aviaire et de combien d'autres situations pouvant affecter, un jour ou l'autre, nos vies.

---

2.   Hubert Reeves, *Mal de Terre*, Paris, Éditions du Seuil, 2003.

❧

Maintenant, quels gestes oserais-je accomplir
pour améliorer cette situation?
Quels gestes oserons-nous accomplir collectivement?

❧

Situation accablante
pour nos milieux de travail

Je ne pouvais éviter d'y revenir. Comme je le mentionnais précédemment, la maladie mentale et nos façons de vivre dans nos sociétés entraînent inévitablement un conflit de valeurs. Les milieux de travail constituent généralement des lieux où ce conflit dérange tout particulièrement. À la lumière de ce que l'on entend, lit et voit autour de nous, la présence des troubles de santé mentale est non conciliable avec les objectifs de la plupart de nos organisations et de nos entreprises. Il est important de prendre conscience que la présence de la maladie ou de troubles de santé mentale peut signifier, dans bien des cas, un symptôme d'une ou de plusieurs situations problématiques dans nos organisations. En sommes-nous conscients?

Stress et milieux de travail

Prenons un moment pour parcourir un texte provenant de l'INRS (Institut national de recherche scientifique) produit en octobre 2003 :

40

« Les facteurs à l'origine du stress au travail sont nombreux et évoluent en même temps que le monde du travail. On peut néanmoins identifier cinq catégories de facteurs :

La tâche : par sa nature même (acte de réanimation pour le personnel soignant; activités monotones ou répétitives; activités exigeant de traiter un très grand nombre d'informations) ou par ses caractéristiques (surcharge ou sous-charge de travail, pression temporelle, recours intensif aux nouvelles technologies, etc.).

L'organisation du travail : absence de contrôle sur la répartition et la planification de ses tâches pour le salarié, imprécisions des missions, exigences contradictoires, mauvaise communication, flux tendu, incompatibilité des horaires de travail avec la vie sociale et familiale, statut précaire, absence d'objectifs, etc.,

Les relations de travail : manque de soutien de la part des collègues et des supérieurs hiérarchiques, *management* peu participatif, reconnaissance du travail insuffisante, isolement social ou physique, etc.

L'environnement physique : bruit, chaleur, humidité, sur-occupation des locaux, etc.

L'environnement socio-économique : compétitivité, concurrence nationale et internationale, mauvaise santé économique de l'entreprise, etc. »[3]

---

3.   INRS, *Le stress au travail*, ED 5021, Le point des connaissances sur..., oct 2003

Évidemment, comme nous ne sommes pas des robots, il nous faut ajouter, qu'on le veuille ou non, les stress liés à notre vie sociale et, de plus en plus, tous les stress liés à l'activité humaine sur notre planète. Dirigeants et employés subissent des pressions de toutes sortes dans les milieux de travail et à l'extérieur de ceux-ci. Même si l'on aimerait bien départager les sources de stress extérieurs au travail et celles qui y sont spécifiquement liées, chaque individu faisant partie d'une organisation va vivre son quotidien avec les tensions liées aux deux sources (consciemment et inconsciemment). Des effets directs se font sentir et de nombreuses questions apparaissent. L'exemple du monde de la santé peut certes nous éclairer. La demande de soins liés au vieillissement d'une population, comme c'est le cas au Québec, a un effet direct sur le personnel du réseau de la santé. À l'heure où l'on constate qu'un grand nombre de travailleurs et travailleuses de ce secteur se retrouvent malades, quelles mesures sont mises en branle pour que ces derniers puissent garder un bon équilibre de vie?

Comme société, nos habitudes souvent démesurées de consommer toujours davantage créent un fardeau économique et une augmentation du crédit qui risque de créer une pression supplémentaire en milieu de travail. Est-ce que je fais des gestes pour tenter de contrer ce facteur et diminuer mon niveau de stress? Il convient, à ce moment-ci, de comprendre que le niveau de stress actuel dans nos milieux a atteint un seuil qui déstabilise grandement nos organisations. Que fait-on en réalité pour tenter de redresser cette situation? Employeurs, salariés, syndicats, travailleurs autonomes doivent s'interroger sérieusement et passer à l'action.

Une situation difficilement supportable

Entre les excès d'ouvrage de plusieurs d'entre nous et la paresse évidente d'un nombre encore trop important d'individus, il doit bien exister un juste milieu. Entre la passion palpable des uns et la démotivation des autres sentie dans toutes les générations, il doit bien se trouver un équilibre quelque part. La situation actuelle constitue un symptôme évident d'un monde qui a oublié certaines valeurs et qui se cherche. Le fossé générationnel apparaît très profond. Quand les troubles de santé mentale apparaissent dans nos milieux de travail, on pense davantage au rétablissement le plus rapide possible en fonction de la productivité et des profits ou des échéances du travail entrepris. On ne peut se sortir du conflit de valeurs... à moins que l'on ose développer une vision globale nous permettant d'avoir une vue d'ensemble, une conscience la plus juste possible de la réalité.

Cette conscience nous entraîne sur le chemin de l'équilibre des individus et de l'équipe qui forme une organisation. Dans ces dernières, nous procédons à de nombreux ajustements quotidiens qui permettent qu'il soit « normalement » viable et, espérons-le, agréable. Miser sur la mission, la vision et les valeurs d'une entreprise ou d'un organisme, quand ils sont partagés par la grande majorité et inscrits dans une démarche d'équilibre et de passion partagée, favorise nécessairement le mieux-être de chacun des individus. Hélas, ça ne nous met absolument pas à l'abri d'un déséquilibre lié aux troubles de santé mentale. Il est possible de prévenir et d'améliorer une situation problématique, mais je ne peux que constater l'incontournable réalité, celle de l'omniprésence de stress de toutes provenances entraînant des répercussions autant attendues qu'inattendues.

Nos assureurs hurlent...

J'assistai dernièrement à une table ronde composée de différents spécialistes du monde de la santé à laquelle participait aussi une porte-parole de nos assureurs. Je savais à quoi m'attendre :

- Pression sur les individus vivant un trouble de santé mentale pour qu'ils réintègrent rapidement leur milieu de travail;

- Dépenses démesurées pour les assureurs et pour les entreprises;

- Pression sur les psychiatres afin de stimuler certains individus (ajustement de la médication...) pour qu'ils redeviennent productifs rapidement.

J'aurais aussi pu ajouter la pression sur les autres intervenants du monde de la santé (psychologues, travailleurs sociaux et autres...) comme si les personnes atteintes n'avaient rien à voir avec leur propre rétablissement. J'ai souvent l'impression que l'on tente de sauver les meubles avec comme seule toile de fond les chiffres. Dans ce type de discours, on se retrouve nécessairement en aval d'une situation problématique. Nous aurions pourtant avantage à jeter notre regard sur tout ce qui se trouve en amont, ces facteurs qui font que l'on est, aujourd'hui, désemparés.

Apprendre à voir la réalité

Je constate avec tristesse que l'on véhicule dans nos milieux de travail des informations et des images souvent erronées qui nous éloignent de la réalité. Nous employons le mot *burnout* à toutes les sauces. Il faut dire qu'il est beaucoup plus intéressant, malgré les préjugés qui y sont liés, de parler d'un épuisement professionnel que d'une dépression ou d'un autre trouble de santé mentale. C'est beaucoup mieux pour l'image! et ça nous éloigne d'une réalité qui fait mal et qui fait peur. Pourquoi a-t-on peur des vrais mots?

Un défi colossal se présente à nous dans les prochaines années. Il consistera à examiner les causes profondes de la situation actuelle et d'oser accomplir des gestes tant au plan individuel que collectif afin de diminuer les facteurs de stress. Nous avons à faire un examen de conscience important et à passer à l'action, action dérangeante, mais toute orientée vers le mieux-être des individus et de la communauté.

Malgré toutes les bonnes dispositions et les gestes positifs que nous entreprendrons, nous devons considérer que la maladie mentale sera toujours présente et dérangeante. Cela ne veut surtout pas dire qu'il ne nous est pas possible de diminuer notre niveau de stress et de prévenir ainsi la maladie.

Aussi, au Québec, comme en d'autres endroits du globe, le vieillissement de la population aura un impact formidable sur nos milieux de travail. Une pression économique, une autre sur les difficultés d'embauche, une autre sur le maintien de la productivité et des services risquent de compliquer la situation considérablement. Oserons-nous nous pencher sur nos façons de « faire » et, surtout, sur nos façons d'« être »? Le tableau peut paraître sombre et il l'est probablement. Est-ce que cela veut dire que l'on ne peut rien faire, que l'on ne peut se reprendre en main, se réorienter d'une autre façon?

À l'image des personnes atteintes qui doivent apporter des modifications en fonction de nouvelles limites dans leurs vies, nos milieux de travail ne peuvent faire autrement que de considérer toutes les sources de stress qui interfèrent dans la vie des organisations. Elles existent ces situations qui font lumière, qui nous amènent sur d'autres voies, sur celles de la découverte et de la passion. Soyons-en convaincus! Mon dernier petit périple à Saint-Siméon, en compagnie de Fabienne et de mes parents (j'ai l'habitude d'y faire un tour chaque année), m'a amené à sortir de mes habitudes. Nous avons emprunté une route qui nous a entraînés sur le chemin de découvertes surprenantes et dans l'un des plus beaux villages du Québec, L'Anse-Saint-Jean. Les habitants, les fleurs, les aménagements, le pont couvert, le majestueux fjord et ce merveilleux repas à l'auberge… Nous étions conquis! Oser faire différemment conduit à la découverte… Saurons-nous faire de même pour améliorer notre situation ainsi que notre qualité de vie au travail comme dans les autres dimensions de nos vies? Les actions entraînant améliorations et changements positifs font partie du quotidien des personnes qui osent.

Oui, c'est possible… mais pas à n'importe quelle condition!

Le « mal a dit »

Dans nos sociétés comme dans toutes celles qui nous ont précédées, la maladie, quelle qu'elle soit, a toujours préoccupé, dérangé. Elle a toujours ramené à l'avant-plan une réalité incontournable, celle de la vulnérabilité de l'être humain. Nous nous sentons diminués et impuissants devant elle. Elle a toujours fait peur et isolé bien des gens. La bible nous en donne d'ailleurs de bons exemples dont celui des lépreux :

« Le lépreux atteint de ce mal portera ses vêtements déchirés et ses cheveux dénoués; il se couvrira la moustache et il criera : " Impur! Impur! " Tant que durera son mal, il sera impur et, étant impur, il demeurera à part : sa demeure sera hors du camp. »[4]

La maladie a toujours fortement dérangé parce qu'elle nous entraîne sur le chemin de la différence. Vous savez, ce qui ne nous apparaît pas comme « normal » perturbe inévitablement. Pendant bien longtemps, la maladie était considérée comme un mauvais sort des dieux, une punition même. Pas surprenant que l'on ait tant voulu isoler les gens malades, les mettre en quarantaine. Ils étaient dangereux… et avec raison bien souvent.

Avec le temps et les recherches, nous avons acquis de nouvelles connaissances sur les maladies. Nous les avons

4. Liv. 13, 45-46, *La bible de Jérusalem*, Paris, Les Éditions du Cerf, 1981, p. 142.

apprivoisées pour en arriver à les traiter tantôt efficacement tantôt moins. Avec le temps, les maladies évoluent, les traitements aussi. Elles demeurent omniprésentes sous des formes très diverses qui, comme nous l'avons vu précédemment, complique notre existence jusqu'à vouloir nous en « débarrasser ». Alors que l'on sait fort bien que c'est là, « mission impossible »... ou presque.

Nous pouvons aussi nous comparer à des voitures qui ont une durée de vie limitée et qui demandent que nous effectuions des réparations quand il est nécessaire. Elles finiront toutes au « cimetière », comme nous. Certaines seront accidentées et auront besoin de réparations majeures en cours de route alors que la majorité termineront leurs routes à la suite d'une usure dite « normale ».

Les maladies mentales, que j'aime aussi appeler « maladies du cerveau » (suggestion du Dr Mylène Bédard, psychiatre à l'Hôpital Charles LeMoyne de Longueuil dans l'émission *Le cri d'alarme*), sont aussi perçues par trop de gens encore comme des maladies de faiblesse échappant au contrôle de personnes n'arrivant pas à s'adapter à notre monde exigeant perfection et performance. Qu'en pensez-vous? Un jour, lors d'un cours que je suivais à l'Université du Québec à Trois-Rivières, un professeur aimant bien provoquer, écrivit au tableau le mot *maladie*. On pouvait lire :

Il venait de m'entraîner sur un autre chemin, sur une piste que je n'avais jusqu'alors explorée. Il voulait ainsi nous indiquer que nos maladies signifiaient que quelque chose n'allait pas dans notre chemin de vie. Cette façon de voir est celle qui me guide quand je pense à mon rétablissement. Au-delà des aspects génétiques, héréditaires, biologiques et chimiques, n'y a-t-il pas d'autres façons d'approcher la maladie qui nous aideront davantage à prévenir ces dernières et à améliorer notre qualité de vie, notre bien-être, notre santé globale?

La piste du « mal qui parle » ou du « qu'est-ce qui ne va pas dans ta vie pour que tu en sois malade? » m'apparaît tout à fait pertinente. Comme nous l'avons vu auparavant quand il a été question de stress, nous ne sommes généralement pas malades par hasard. J'en suis convaincu!

Je ne peux toutefois prétendre qu'il s'agisse là d'une piste qui nous mènera assurément vers la guérison. Je ne voudrais non plus que nous entretenions de faux espoirs en croyant que ce seul aspect puisse tout déterminer pas plus que nous nous culpabilisions parce que nous sommes malades. Cependant, il existe une lumière dans cette façon de voir. Qu'en pensez-vous?

La fuite ou quand le tuyau éclate!

Lorsque la pression est trop forte et que le tuyau ne peut la « subir » totalement, ce dernier laisse nécessairement échapper de l'eau. Il fuit inévitablement. Nos vies ressemblent donc à ces tuyaux subissant différentes pressions. Nous vivons des événements qui nous font vivre des stress qui s'expriment sous forme d'émotions. Avec cette image, je suis en mesure de comprendre qu'avec l'accumulation de la pression ou par l'arrivée soudaine d'un stress majeur, il est fort possible que je vive une fuite qui puisse prendre des formes très diverses. A priori, la maladie est en soi une fuite, une voie qu'emprunte mon corps pour me dire que quelque chose ne va pas.

❧

Mon passage par la maladie mentale ne fut pas un hasard. Pendant de nombreuses années, j'ai voulu nier que ma vie affective ne se portait pas bien. J'ai longtemps eu le désir que la situation se corrige mais ce ne fut pas le cas. Le fait de vivre trop longtemps dans cet état a créé une pression qui est devenue insoutenable au plan émotionnel. Comme je n'avais pas résolu le problème, mon corps s'est occupé de me le faire savoir.

❧

En plus des maladies mentales, du cancer et d'autres maladies associées au stress, la fuite peut prendre des formes très diverses dont les principales sont :

- l'alcoolisme

- la toxicomanie

- les excès dans le travail ou dans les études

- la dépendance au jeu

Vous pourrez très certainement en identifier d'autres. Dans la grande majorité des cas de maladies mentales, l'élément déclencheur nous y entraîne. En plus de la maladie faisant son apparition, il faudra, dans certains cas, considérer l'existence de ces dépendances ou de ces autres fuites qui compliqueront assurément le rétablissement. On parlera alors d'une situation qui ressemble à un tuyau qui fuit en plusieurs endroits. Combiner le fait de vivre une maladie telle la dépression en parallèle avec l'alcoolisme ou la toxicomanie complique considérablement le retour à une vie dite « normale ». Par où doit-on commencer en pareilles situations, surtout quand l'alcool se mêle aux médicaments par exemple ? Bien des personnes atteintes « démissionnent ». Il en est de même pour les parents et amis. La rencontre de spécialistes de ces situations s'avère incontournable. Et j'ai toujours la sensation qu'il y a, malgré tout, un espoir.

En ce qui regarde nos adolescents et un nombre important d'adultes, la recherche de plaisirs toujours plus immédiats et plus forts entraîne nécessairement de grandes difficultés pour les lendemains. Cette recherche constante de plaisir ferait-elle partie de ces fuites ? Et quand l'adolescent est « dépressif » ou « bipolaire » non diagnostiqué (sans traitement) et qu'il vit en surplus un problème de toxicomanie pour ne nommer que celui-là, on ne peut se surprendre d'assister à des drames.

⚜

Je ne me sens pas à mon aise devant ces situations qui engendrent chez moi une sensation d'impuissance. J'ai un grand ami qui vit actuellement une thérapie pour se sortir de multiples dépendances. J'ai rencontré, dernièrement, un couple et leur fille qui cherchaient une ressource pour tenter de sortir de l'alcoolisme de cette dernière. Je tente de les informer, mais maudit! je me sens tellement impuissant devant la mesure des troubles.

⚜

La bonne nouvelle, c'est qu'il existe des façons de réparer nos « tuyaux » et de régler, par la suite, la pression (gestion de stress). Malgré nos fragilités, nos vulnérabilités, nos périodes de noirceur, notre mal, il existe la lumière et l'espoir... et il est toujours important d'y croire.

Quand la destruction frappe

Les pluies diluviennes provoquant de nombreuses inondations destructrices, le formidable tsunami du 26 décembre 2004 rayant de la carte plusieurs localités situées en bordure de l'océan Indien, le passage d'ouragans terrifiants dans le golfe du Mexique, voilà autant de phénomènes naturels entraînant la tristesse, la désolation et la dépression pour nombre d'êtres humains. Plusieurs ne s'en remettent jamais. Nous gardons toujours en mémoire ces images de désolation spectaculaires. Avons-nous idée de ce que les survivants vivent par la suite?

Quand la maladie mentale passe dans une vie, on ressent la même sensation, celle du vide, de n'être plus rien, celle du sens de la vie disparue. Ainsi, je puis dire qu'un cataclysme naturel est passé dans ma vie à l'aube de mes 37 ans. Avec une commode, un lit, mes paiements de voiture, je me retrouvais chez mes parents, complètement abattu, dans le néant, sans lumière. Mon entourage, aussi abasourdi que moi, devait s'adapter. Que restait-il?

Vous vous reconnaissez, vous reconnaissez une personne près de vous? L'impression d'une maison emportée par les flots déchaînés, voilà qui est plutôt troublant. La sensation d'avoir tout perdu de sa vie alimente la dépression. Tout perdu? Vraiment tout perdu? En apparence, sans l'ombre d'un doute! M'arrêter pour respirer, laisser passer cette période de grande noirceur, faire preuve de patience dans un monde de vitesse et de performance pour mieux percevoir cette petite lueur, voilà qui pourra sans doute m'aider à voir plus clair. En effet, malgré cette sensation de désolation liée à la présence de la maladie mentale ou du cerveau, il reste toujours les fondements de nos vies, ces valeurs, ces convictions, cette spiritualité sur laquelle je peux reconstruire.

Quand, pendant que je vivais la psychose en 1996, le formidable déluge s'est abattu sur le Saguenay, la population de ce secteur dut s'adapter à cette nouvelle situation. Des enfants sont décédés, des maisons sont disparues, des souvenirs matériels furent à jamais emportés par les flots en furie. Mais il restait tout de même la vie, le souvenir des aînés du coin nous rappelant d'autres événements antérieurs, le tremblement de terre de novembre 1987, le glissement de terrain de Saint-Jean-Vianney en mai 1971... et nous disant qu'ils s'en étaient toujours sortis.

❧

*Au lendemain de ces catastrophes, il demeure une âme, un désir
de reconstruire, une force qui nous poussera éventuellement
à profiter des beaux moments de la vie à nouveau. L'espoir
renaîtra sous la forme d'un rayon de soleil, d'une étoile brillante,
d'une nouvelle fleur et de nouveaux plants de bleuets faisant leur
apparition.*

❧

Quand on vit un épisode de maladie mentale ou tout autre passage de vie difficile, n'avons-nous pas intérêt à nous inspirer de tous ces événements. Cette petite maison blanche tenant le coup pendant la crue des eaux au beau milieu de la rivière Chicoutimi n'est-elle pas un symbole formidable duquel nous pouvons nous inspirer? Et si l'on retrouvait cette image sur certains murs de nos hôpitaux?

Croire en son rétablissement nécessite ce contact avec nos racines, avec ce qui nous fait vivre, cette force spirituelle, ces valeurs auxquelles nous croyons, ces convictions qui justifient notre élan, nos actions et qui engendrent la passion.

❧

*Le rétablissement prend sa source dans le cœur, dans l'amour,
dans la spiritualité, dans la communion avec d'autres personnes
et dans l'esprit de ces individus signifiants nous ayant quittés
antérieurement.*

❧

Construire sur le roc

Je ne suis certainement pas un spécialiste de la construction, mais je sais que toute habitation ne peut être stable que par des fondations solides. Lorsque nous sommes frappés par un épisode de maladie mentale, nous avons l'impression qu'il ne reste plus rien, que nous nous retrouvons dans le vide. C'est ce que j'ai expérimenté et je constate aujourd'hui que nous sommes nombreux à vivre cette situation. À l'image de tous ces désastres qui frappent notre planète et qui emportent tout sur leurs passages, vivre la dépression, le trouble bipolaire, la schizophrénie et les autres troubles de santé mentale éloigne notre regard de l'essentiel, de ce qui est souvent non visible.

Et, pourtant, les fondations sont toujours là. Elles sont le cœur de ce que nous sommes, l'énergie, l'amour. Et ça, personne ne pourra nous en priver. C'est là la base du rétablissement ainsi que de la prévention. Reprendre contact avec les racines pour sentir la sève qui montera et qui fera vivre notre arbre à nouveau s'avère absolument essentiel.

Entre vous et moi, tout ça peut paraître bien beau et même « logique » pour plusieurs. La réalité peut paraître tout autre. Je reçois des témoignages de personnes qui veulent bien « s'accrocher » à ce qu'ils ont de plus essentiel mais la maladie « embrouille ». En vivant trois phases dépressives dans la même année, et Dieu sait combien elles étaient sombres, je ne pouvais me recentrer vers l'essentiel. C'était le chaos. Le temps et cette petite étincelle apparue à L'Isle-aux-Grues m'ont permis de reprendre le chemin graduellement. C'est là que j'ai repris contact avec ma flamme, avec ce qui me permet encore d'aimer la vie aujourd'hui. Que se serait-il passé si j'avais fait une autre rechute?

Pour certains, il reste l'espoir, pour d'autres, on ne voit qu'une infime lumière ou encore la grande noirceur. Alors, tout est à reconstruire. Il est important de croire que l'on peut y arriver et redécouvrir ce qui peut donner sens à nos vies. Et ça, c'est bon pour chacun et chacune d'entre nous. Il restera à nous convaincre de lutter pour y arriver :

« Une personne qui lutte ne peut être perdante, car le perdant est celui qui n'ose pas courir sa chance. »[5]

Le rétablissement et les personnes concernées

De façon à se donner une vision d'ensemble, j'ai pensé revenir avec cette image inspirée de l'ouragan qui, je le souhaite, donnera un sens à cette réalité vécue par une personne atteinte. Je reviens donc avec cette image de l'ouragan qui, comme nous l'avons vu dans la section sur la conscience de l'être, permet de repérer tous ces individus signifiants à divers niveaux :

---

5. Gilles Lapointe, *Docteur, aidez-moi!* , Outremont, Éditions Quebecor, 2004, p. 116.

Médecin Psychiatre
Médication et soutien

Personnel hospitalier
Infirmières, préposés, travailleurs sociaux, etc.

Entourage
Parents et amis

La personne atteinte

Disparus signifiants
Parents et amis

Thérapie Psychologue Travailleur social
Résolutions de problèmes

Entraide
Pairs et Intervenants

Milieu de travail ou d'études
Collègues et amis

Autres :

En observant ce dessin de l'« ouragan », je note différents types de personnes qui prennent diverses significations dépendant de la personne atteinte :

1. **Le personnel médical et hospitalier :** il se trouve en première ligne, mais à défaut de constituer un lien affectif, il pourra agir à titre de « stabilisateur » dans le début du rétablissement. Psychiatres, infirmières,

préposés, psychologues, travailleurs sociaux, animateurs de pastorale (ou prêtre) et techniciens en loisirs
sont susceptibles d'apparaître sur notre chemin. Dans
votre esprit, d'aucuns auront une valeur liée à la tâche
et il arrivera que certaines personnes, membres du
personnel hospitalier, représenteront bien davantage.
De par ce qu'ils sont, bien plus de par ce qu'ils font, ces
intervenants prendront une plus grande signification et
auront un effet « motivant » ou non.

2. **Les parents et amis :** il existe à ce niveau un lien
affectif avec une ou des personnes de cet entourage. On
ne dira jamais assez combien l'attitude de ces gens est
primordiale. C'est avec ces personnes, le conjoint, la
conjointe, un parent, un(e) ami(e) que se jouera le début
de la « partie ». Les parents et amis devront s'armer de
patience. Cette « partie » ne sera pas toujours simple.
Dans tous les cas, il sera important de ne pas s'isoler.
J'invite toujours ces gens à fréquenter les organismes
communautaires et à prendre soin d'eux en n'oubliant
pas que la vie continue...

3. **Les pairs aidants :** Ces personnes ont été les plus
précieuses pendant ma convalescence, ces gens qui ont
un vécu dans la maladie peuvent devenir de précieux
atouts. C'est par eux que je me reconnais, que je sors
de l'isolement... à la condition que j'y perçoive une
expérience positive. On les reconnaît souvent par
leur implication dans des organismes existants. Ils
deviennent, dans certains cas, de grands amis, de
grandes amies. Parmi eux, on y trouve d'excellents aidants naturels trop souvent absents dans nos milieux,

du moins au Québec. Nos réseaux de la santé auraient grandement intérêt à utiliser l'expérience de grande valeur de ces individus compte tenu de l'espoir qu'ils représentent.

4. **Les disparus signifiants :** ces gens qui ont eu dans le passé un lien privilégié avec la personne atteinte peuvent s'avérer des exemples de courage et d'espoir. On les oublie souvent, mais ils ont certainement leur place... à moins que la souffrance de la dépression amène à se dire que l'on va aller retrouver cet être signifiant dans cet autre monde. Évidemment, on comprendra que si la personne disparue a elle-même commis un geste suicidaire, on évitera de faire ré-férence à cette dernière. En dépit de cette mise en garde, je demeure convaincu de l'importance que peut représenter ces disparus de par les images de courage et de résilience qu'ils continuent de dégager. Daniel Bélanger nous rappelle :

> *La terre pivote et autour d'elle*
> *Des âmes flânent*
> *Une âme espère et l'autre rêve*
> *Des âmes planent*

Daniel Bélanger : chanson *Opium*

5. **Les ressources d'entraide :** ces ressources favorisent généralement la prise en charge vers l'autonomie. Elles vous permettront de partager avec des pairs vivant des événements qui ressemblent aux vôtres. C'est là que vous risquez de sortir de l'isolement et

trouverez possiblement une lueur d'espoir. Vous y li-
quiderez probablement vos émotions comme vous le
ferez en thérapie. Je vous invite à les retracer et à les
fréquenter. Vous trouverez, en annexe, une liste qui
pourra certainement vous aider.

6. **Les thérapeutes :** généralement, les troubles de santé
   mentale commandent que nous réglions un ou des
   problèmes déclenchant les stress souvent responsables
   de l'apparition de la maladie. Travailleurs sociaux,
   psychologues et autres spécialistes s'avèrent souvent
   des ressources nécessaires pour se donner un plan
   d'action. Une solide thérapie amène à régler bien
   des maux. Et, croyez-moi, c'est tout aussi bon pour
   l'entourage que pour la personne atteinte. Nous en
   reparlerons dans le chapitre consacré à « l'industrie de
   la relation d'aide ».

7. **Les collègues de travail ou d'études :** ils peuvent
   apporter un soutien lors du rétablissement. Ce sont
   davantage des collègues, amis, qui feront surface à ce
   moment. Les « vrais » demeurent les « vrais ». C'est
   au moment où une certaine stabilité sera installée et
   que la personne atteinte pourra reprendre son boulot
   (quand ce sera possible) que ses collègues pourront
   avoir un effet déterminant.

On ne dira jamais assez combien les individus qui
gravitent autour d'une personne atteinte peuvent être déterminants sur le plan du rétablissement. J'ai moi-même
pu vivre une situation fort positive lors de mon épisode
de maladie. Je me souviendrai toujours de ce préposé qui

m'accueillait et qui prenait le temps de discuter un petit peu, de mes parents, de mon frère, de deux grands amis, de Raymond (mon thérapeute), de ces personnes rencontrées au centre d'entraide où j'ai compris que je n'étais pas seul et de ma psychiatre qui m'encadre encore aujourd'hui pour laquelle j'ai le plus grand respect. Bien sûr, l'attitude y est pour beaucoup, mais je sais que c'est par des personnes comme vous et moi que le cheminement s'entreprend.

Les facteurs déterminants dans le rétablissement et la stabilité

Ces facteurs qui font que l'on se donne toutes les chances de vivre un rétablissement positif et potentiellement couronné de succès prennent leur racine dans nos convictions, dans nos valeurs et j'ajouterais aussi, dans notre spiritualité. À quoi bon faire tous ces efforts si l'on ne croit plus en rien? À quoi bon entreprendre un travail sur soi (thérapie) si l'on ne croit plus en l'amour? Il est bien certain que plus nous sommes près, en temps, de l'épisode de maladie, plus il est indispensable de se donner le temps nécessaire à une action positive. Une fois cette petite lumière réapparue, l'action réelle pourra commencer.

Comme nous le verrons maintenant, les facteurs qui entraînent le succès s'avèrent fort nombreux. Il convient de bien les identifier et de ne pas avoir peur d'y faire face.

Un diagnostic juste

Lorsque je me suis retrouvé à l'hôpital au milieu des années 90, on m'a accolé, de façon non équivoque, l'étiquette de « trouble bipolaire de type 1 ». C'était on ne peut plus clair. Les phases de ma maladie développée à l'époque ne laissaient planer aucun doute. Quand on peut vivre avec l'assurance d'un diagnostic juste, le traitement approprié, sous forme de médication, peut « s'installer » augmentant ainsi les chances d'un rétablissement au moins partiel et, pourquoi pas, complet.

Je fus, à l'époque, un de ces beaux cas ayant vraisemblablement un diagnostic juste qui m'a permis rapidement d'avoir une image appropriée de la maladie avec laquelle je vivais désormais. Sans le savoir, c'était un privilège.

Hélas, la question du diagnostic n'est pas toujours aussi simple. On les remet en doute. On trouve qu'il y en a trop chez certaines clientèles, qu'il n'y en pas suffisamment chez d'autres. S'ils sont justes pour plusieurs, on les questionne chez d'autres. On a qu'à penser au *burnout*, ce terme employé à toutes les sauces et dans lequel on peut aussi bien trouver des personnes dépressives ou bipolaires par exemple. Le véritable *burnout* est beaucoup plus rare que l'on croit. L'étiquette semble toutefois faire moins mal que les autres maladies. Il est néanmoins lié à de nombreux préjugés.

Je fais actuellement partie d'une équipe de formation (en compagnie de deux psychiatres et d'un médecin passionné par la psychiatrie) qui intervient auprès de groupes d'omnipraticiens sur le sujet du trouble bipolaire de type 2 (habituellement décrit comme une maladie comportant une faible manie ou hypomanie ainsi qu'une dépression). La raison d'être de cette formation réside dans le fait qu'un nombre important de personnes vivant avec un diagnostic de « dépression » serait en fait des personnes vivant avec le « trouble bipolaire de type 2 ». Cet exemple montre que l'on nage quelquefois dans la confusion. Les impacts d'une erreur de diagnostic peuvent être désastreux installant assurément un frein au rétablissement et à la stabilité.

Cette situation semble fort déplorable et elle l'est à certains égards. Toutefois, de façon globale, il est aussi vrai que la recherche continue à faire des progrès et que nos médecins bénéficient de nouvelles formations pertinentes. Quand on regarde l'histoire des soins sur le plan de la maladie mentale, vous et moi devons comprendre que des pas de géants ont été réalisés depuis la fin des années 60. Tout ça n'atténuera pas la douleur de ces personnes mal diagnostiquées, mais on a au moins une assurance que les progrès sont notables. Le Dr Denis Audet ajoutera :

« Il est important de considérer la difficulté qu'ont les organismes telles l'ADA (*American Psychiatric Association*) et l'OMS (Organisation mondiale de la Santé) à définir les entités diagnostiques, la validité des critères qui les caractérisent. Par exemple, quand on parle de comorbidités, il y en a qui se questionnent à savoir s'il ne s'agit pas plutôt d'une incapacité à cerner différentes expressions d'une même pathologie. »

Denis Audet
médecin

Toujours concernant les diagnostics, les opinions varient d'un milieu à l'autre. Ils apparaissent bien nombreux pour certains intervenants. Aussi, que penser du trop grand nombre de jeunes non diagnostiqués commettant l'irréparable (sans même savoir quelquefois que ce qu'ils vivent est une maladie)? Ces derniers auraient probablement bénéficié d'être diagnostiqués en cours de route. C'est un des nombreux problèmes liés aux diagnostics.

Aussi, je ne peux passer sous silence cet avantage du diagnostic clair et précis qui consiste à favoriser le regard préventif vis-à-vis des enfants de la personne atteinte ou encore de ses frères et sœurs. Comme la recherche nous l'enseigne, il existe un facteur héréditaire dans nombre de maladies mentales. Une prévention fort simple (connaissance exacte des principaux symptômes) permettra d'éviter bien des problèmes pour la personne atteinte comme pour l'entourage.

Le diagnostic est un sujet fort délicat. Si vous n'êtes absolument pas convaincu de votre diagnostic ou de celui de la personne que vous accompagnez, prenez le temps d'aller vérifier auprès d'un autre spécialiste. Si vous avez une très grande confiance en votre médecin traitant, et que vous êtes convaincu de son professionnalisme en regard des troubles de santé mentale, vous devriez toujours aller de l'avant avec le traitement. La relation de confiance est un élément de base dans le rétablissement. Ne l'oublions jamais.

Enfin, comme me le rappelait une intervenante du milieu, plusieurs personnes ont peur de dire réellement ce qu'elles vivent. Elles vont jusqu'à occulter une partie de la vérité puisqu'elles croient que le « système » psychiatrique fonctionne encore comme dans le film *Vol au-dessus d'un nid de coucou*. Elles croient qu'elles seront internées et qu'elles ne sortiront jamais de l'hôpital. Eh oui, ce type de tabou et de perception existe encore! Il est plus que temps de passer à autre chose et d'éliminer ces fausses croyances. On ne doit pas avoir peur de ce que l'on vit et confier le tout aux spécialistes auxquels nous avons confiance.

L'entourage positif et constructif

À la suite de la sortie du livre *Le fragile équilibre*, j'ai pu vivre de nombreuses rencontres avec des parents et amis de personnes atteintes tout particulièrement, lors de conférences. Je n'hésite pas à dire qu'ils souffrent tout autant que la personne vivant la maladie. Ils sont souvent moins encadrés ou prennent plus de temps avant d'aller chercher de l'aide. Ils vivent une situation dont ils ne voient pas toujours l'issue. Ces derniers temps, j'ai eu l'occasion de côtoyer Rébecca et Jean-Yves, parents de trois jeunes dont un ayant un diagnostic de bipolarité. Ma conjointe et moi prenons le temps de partager de bons moments avec eux. Ils sont inspirants.

Lorsque je leur demande quelles sont les principales difficultés vécues par l'entourage d'une personne atteinte, je m'aperçois que leurs réponses rejoignent les interrogations de plusieurs participants lors de mes conférences. Même si certaines situations leur apparaissent troublantes, ils gardent toujours à l'esprit que l'attitude positive et constructive de l'entourage permet de surmonter les différentes épreuves surgissant sur la route.

Cette attitude positive se traduit nécessairement en actions. Je vous présente maintenant un programme en dix points de M. Stephen Prost qui vise spécifiquement cette attitude de l'entourage. Voyons ce qu'il nous propose :

1. Ne jamais abandonner (*Never give up*)
2. Prendre le temps nécessaire (*Take some time*)
3. Faire face à la réalité (*Face the facts*)
4. Adopter une attitude positive (*Adopt the right attitude*)
5. Être bien informé (*Get educated*)
6. Traiter la personne atteinte comme un adulte (*Treat us like adults*)
7. Se donner de l'espace pour respirer (*Give us some space*)
8. Oublier le passé (*Forget the past*)
9. Prendre soin de soi (*Take care of yourself*)
10. Trouver un équilibre « santé » (*Find a healthy balance*)

Stephen Prost, *Points to ponder*,
BPCanadaPreview Issue

Le programme de Stephen Prost m'apparaît fort approprié et rejoint très bien ma pensée. Le fil conducteur est bien simple et consiste à adopter cette attitude qui fait que nous nous adaptions à une nouvelle réalité. Toutefois, en ce qui regarde l'oubli du passé, je suggère bien davantage que nous tirions les leçons de ce passé pour nous projeter par la suite vers le présent et le futur. La pensée de M. Prost fait davantage référence aux frustrations vécues et aux expériences négatives et difficiles. Il n'a certainement pas tort quand il suggère d'oublier ces événements. Toutefois, l'image de ces blessures du passé risque de réapparaître un jour ou l'autre : d'où l'importance de régler ce qui n'a pas été réglé dans l'enfance ou quelque part dans notre histoire de vie et d'en tirer les leçons. Ce n'est pas un jeu d'enfant et la thérapie s'avère souvent la meilleure façon d'y arriver.

Une rencontre déterminante

Ça devait arriver tôt ou tard. Un jour, je reçois par courrier électronique une demande d'accompagnement. Un couple vient d'apprendre que leur fille, dans la vingtaine, vient d'avoir un diagnostic de « maniaco-dépression ». Ayant bien des interrogations, ces deux personnes me demandent donc de les accompagner et de partager un moment en leur compagnie. La discussion étant engagée, je remarque, surtout par le non-verbal, un désaccord évident sur le plan de l'approche à adopter. Il s'est passé bien des événements qui trouvent peut-être leur source dans la maladie. Je les mets immédiatement en garde d'éviter de tout mettre sur le dos de la maladie : « Il y a votre fille et il y a la maladie. Votre fille n'est pas la maladie ». Nous discutons du trouble bipolaire, de leur vécu, de la médication et de bien d'autres sujets. Nous examinons aussi les ressources communautaires qui peuvent les aider, eux et leur fille. Enfin, nous explorons le sujet de la thérapie.

Dans tout cela, je remarque un élément fort important : la maladie de leur enfant entraîne généralement des désaccords dans le couple. Il m'apparaît essentiel que l'on apprenne à vivre avec ce facteur et à le considérer comme normal. Ainsi, nous nous rappellerons qu'il n'est pas nécessaire que nous soyons d'accord sur tout. Le principal problème lié à la communication réside davantage dans la façon de communiquer que dans le contenu des discussions. L'apparition de conflits dans le couple découlant de la maladie de son enfant est une réalité que plusieurs vivront. Quand je dis que l'entourage d'une personne affectée par un trouble de santé mentale a besoin, bien souvent, d'être accompagné (de rencontrer d'autres personnes vivant ou ayant vécu une expérience analogue) ou même de vivre une thérapie, je crois qu'il s'agit là d'une démarche fort souhaitable. En surplus, nous pouvons imaginer ce que peut vivre un couple séparé ou divorcé dans lequel des tensions sont déjà bien « installées ». La situation peut devenir invivable.

Cette rencontre avec ce couple met aussi en relief une lacune importante qui consiste en l'absence d'accompagnement des personnes atteintes ou des proches afin qu'ils puissent rapidement être informés et rassurés quand le diagnostic leur arrive. Les structures publiques doivent normalement répondre à ce besoin. Toutefois, elles sont souvent trop engorgées et inaccessibles. Il y a des endroits où la situation est plus positive qu'à d'autres. Pourquoi d'aucuns sont bien informés et rassurés pendant que d'autres se retrouvent devant le néant? Je me questionne aussi sur l'accessibilité de nos thérapeutes (tout particulièrement nos psychologues), trop onéreux pour plusieurs et pas toujours en mesure de donner des informations (pour un certain nombre) sur le vécu avec les troubles de santé mentale. Du côté des ressources communautaires, elles ne sont pas toujours connues et proposées (même par les intervenants du système public). Chacune d'entre elles a sa mission propre et sa philosophie. D'aucunes vous plairont à coup sûr pendant que d'autres vous préoccuperont. Qu'à cela ne tienne, ces organismes constituent souvent de merveilleux lieux d'accompagnement... mais il faut les connaître. En tout temps, je suggère la rencontre de pairs aidants, ces personnes au vécu significatif qui ont déjà eu une expérience positive du rétablissement, ces personnes riches qui peuvent informer, démystifier les maladies, dédramatiser et conseiller au besoin.

La patience de *L'homme qui plantait des arbres*

Vous avez peut-être déjà visionné ce film extraordinaire de Frédéric Back intitulé *L'homme qui plantait des arbres*. Cette œuvre est une inspiration formidable pour toute personne voulant cheminer. Si vous n'avez jamais cultivé la patience, le trouble de santé mentale vous obligera à faire un effort en ce sens. C'est là une difficulté majeure quand on accompagne des personnes souffrant d'un trouble de santé mentale. Un témoignage de Claude image bien mon propos :

71

« Bonjour Richard, je suis une personne souffrant d'anxiété et de dépression depuis environ deux mois. J'ai commencé à prendre une médication il y a trois semaines, après consultations avec mon psychiatre. Du lithium m'a également été prescrit et j'attends les résultats des tests d'évaluation avant de commencer cette médication. À ce jour, je ne vois que peu de différence sur mon bien-être. Je suis toujours anxieux et angoissé. J'ai rencontré une intervenante du CLSC qui va me diriger vers une travailleuse sociale d'ici un mois. Je veux me sortir le plus rapidement possible de cette période difficile. »

Claude

Disons, à ce moment-ci, que le temps nécessaire à la convalescence est généralement beaucoup plus long que ce qu'espère Claude. Il n'est pas rare que l'on parle de périodes de six à douze mois au minimum dans le cas de la dépression. Nous avons avantage à nous fixer des objectifs réalistes en termes de temps. Qu'en diront nos assureurs et nos amateurs de performance?

Ce petit pêcheur de bois sculpté que mon père m'avait apporté à l'hôpital lors de ma première hospitalisation me suit constamment lors de mes activités. Il représente une des conditions gagnantes sur le plan du rétablissement que ce soit pour la personne malade comme pour l'entourage. Le problème, c'est que cette « vraie » patience ne fait pas vraiment partie des valeurs de notre monde moderne.

La patience introduit la réduction des attentes à son minimum. L'amélioration de la condition de la personne atteinte se fera à petits pas et il y a bien des jours où notre pêcheur ne prendra pas de poisson. Ainsi, l'entourage positif cherche à apprivoiser cette nouvelle situation. Pour moi, apprivoiser la maladie par la patience est une absolue nécessité. Il ne se passera rien de positif sans ce passage.

Comme plusieurs le savent déjà, bien des tensions risquent d'apparaître en cours de route. On se doit de se donner les meilleures chances possibles de réussite et, encore plus, que tout cela se passe dans des conditions agréables et « gagnantes ». Je me rappelle, il y a quelques années, lors d'une conférence dans la ville de Lévis, un couple s'était littéralement « déchiré » devant moi avec comme fond de scène une mésentente complète relativement à l'attitude à adopter avec leur enfant diagnostiqué. En fréquentant d'autres organismes accueillant parents et amis, je me suis bien rendu compte que de nombreuses personnes vivaient des tensions souvent insupportables pour les mêmes raisons. Même si je comprends fort bien la douleur de l'entourage, il m'apparaît essentiel de prendre soin de soi, de prendre soin du couple, de « vivre », de se débarrasser de la culpabilité. Et comme je le dis souvent, nous avons avantage à « respirer » pour vivre, pour profiter de toutes ces petites joies que la vie nous procure en dépit des grandes noirceurs qui parsèment certaines périodes de nos vies.

Cette lueur d'espoir

Nous avons constaté au début de cet ouvrage que nos « fondations » sont fortement ébranlées lorsque nous sommes confrontés à la maladie d'un proche. Nous pouvons solidifier nos fondations en gardant tout d'abord l'espoir, un espoir entretenu quotidiennement. Nous verrons, un peu plus loin, que l'espoir n'arrive pas par hasard. Se demander ce qui est vraiment important dans la vie, ce qui représente la lumière, n'est-il pas sain?

Vivre la maladie ou accompagner une personne atteinte n'a rien d'un pique-nique et on ne se le cachera pas. Donnons-nous les conditions nécessaires, celles qui, à défaut de mener toujours au succès, nous permettront à tout le moins de vivre une vie agréable.

Cette route de l'espoir n'est absolument pas en ligne droite. Elle est bien sinueuse. Le fruit ne se récolte pas au lendemain du dépôt de la semence. On n'y arrive pas de n'importe quelle façon. Anthony de Mello suggère :

« C'est pourquoi vous avez besoin, maintenant, de conscience et de nourriture. Vous avez besoin d'une nourriture saine et adéquate. Apprenez à aimer la solide nourriture de la vie. Un bon repas, un bon vin, une bonne eau. Goûtez-les. Oubliez votre esprit et reprenez contact avec vos sens. Prenez une bonne, une saine nourriture. Le plaisir des sens et le plaisir de l'esprit dépendent d'une saine nourriture. Un bon livre, une bonne discussion ou des pensées enrichissantes. C'est miraculeux! »[6]

Mon bon ami Jean ajouterait sans doute : « Qu'avons-nous fait de nos cinq sens et tout particulièrement du toucher, de l'écoute et du sentir? »

---

6. Anthony de Mello, *Quand la conscience s'éveille*, p. 207-208.

La recherche d'informations justes

Savoir de quoi l'on parle me semble une nécessité absolue. Hélas, trop d'individus demeurent dans l'inconnu longtemps. Trop d'individus sont malades et ont des qualités de vie très pauvres parce qu'ils ne savent pas.

Certaines personnes vont se suicider en ne sachant même pas qu'elles avaient en fait une maladie qui pouvait se guérir.

Les informations existent et les sources sont relativement nombreuses. Nous trouverons de bons livres et de bons sites sur Internet avec une petite recherche.

Concernant les réseaux d'entraide, ils regroupent des organismes orientés vers des objectifs qui peuvent varier. Les gens qui les fréquentent y trouvent habituellement leur compte. Il arrive toutefois que des orientations et des façons de faire non conciliables peuvent faire en sorte qu'ils vous apparaissent non appropriés pour vos besoins. Comprenons que ces organismes sont composés d'individus qui ont des croyances quant au rétablissement, ce qui influence bien évidemment leurs actions. Certains prennent leur source dans une vision purement psychiatrique. D'autres, dans celle des différents courants psychologiques et sociaux. Je n'hésite pas à vous suggérer de les consulter. Je vous souhaite d'y trouver des individus qui auront à cœur de vous accompagner dans la résolution des problèmes auxquels vous faites face.

En plus des réseaux communautaires, le réseau public peut aussi s'avérer utile dans la recherche d'informations. Au Québec, on vous parlera des CLSC. Vous devriez y trouver minimalement des informations et possiblement un(e) intervenant(e) qui pourra vous aider. Toutefois, vous vous retrouverez possiblement sur une liste d'attente. C'est là un problème qui montre comment on ne peut répondre à tous les besoins. En phase dépressive, aimeriez-vous devoir attendre pendant des semaines avant de rencontrer une personne avec laquelle vous pourriez cheminer. L'état dépressif d'une personne commande une intervention rapide et, la plupart du temps, immédiate. C'est pour cette raison que je suggère les organismes communautaires avant tout.

Mon expérience du réseau public se résume à la rencontre d'un spécialiste en soins infirmiers pendant un nombre de semaines qui m'était nécessaire pour une démarche thérapeutique. Une expérience fort positive qui dépendait davantage de l'attitude de la personne que de la structure ou de sa profession. D'ailleurs, lors de ma dernière rencontre avec Raymond, il m'avait alors présenté un autre intervenant venant prendre son poste et avec lequel je n'aurais jamais passé une seule minute tellement son approche était « froide ». Il ne m'inspirait absolument pas. J'aimerais vous dire que partout où vous irez, vous ferez affaire avec des individus avant de faire affaire avec des structures. Fiez-vous à votre instinct et acceptez d'être accompagné par des personnes qui vous inspireront avant de regarder les diplômes accrochés sur le mur et l'affiche installée à la porte d'entrée. Les compétences et les connaissances ne sont rien si l'on ne peut entrer en relation de façon agréable avec les gens dans le besoin.

Le sujet de l'information me tenant particulièrement à cœur, je vais vous relater une autre expérience qui m'a fortement préoccupé. J'ai eu l'occasion à l'automne 2005 de participer à l'activité de lancement d'un très bel outil intitulé *L'homme qui parlait aux autos* avec le concours de l'organisme La Boussole de Québec. Une jeune journaliste du quotidien *Le Soleil* de Québec avait écrit un texte sur un homme, de toute évidence schizophrène. Son texte fut repris par l'organisme et transformé en un « code de conduite » touchant des situations telles la psychose, l'anxiété, les phobies et autres. Je me trouvais au Centre hospitalier Robert-Giffard en compagnie de nombreux intervenants invités. Prenant la parole, j'ai relevé le fait que la dernière année avait vu l'apparition du livre *Le fragile équilibre* (dont je suis toujours bien fier!), le livre pour enfant *Anna et la mer* de Rébecca Heinisch et que maintenant nous assistions au lancement de ce très bel outil longuement mijoté appelé *L'homme qui parlait aux autos*. En procédant de cette façon, je me suis rendu compte que la majorité des intervenants du réseau de la santé (nous avions un bon échantillonnage) ne connaissaient pas les nouveaux outils. En poussant un peu plus loin ma curiosité, je me suis rendu compte que plusieurs ne disposaient pas d'ordinateur pour faire des recherches et mettre à jour leurs connaissances et leurs informations. Bien sûr, j'ai entendu trop souvent, lors des dernières années, des gens me dire qu'un nombre important d'intervenants considèrent qu'avec leur scolarité et leur expérience, il n'est pas nécessaire d'aller plus loin et de chercher davantage. Je trouve cette attitude déplorable. J'ose souhaiter qu'il s'agisse là de cas isolés et que j'erre quand je parle de cette situation…

Suivant cette observation, je suggère à tout individu qui recherche une personne pour l'aider à cheminer de se mettre en quête d'un intervenant qui aura à cœur son bien-être et qui sera assoiffé d'en savoir plus, de connaître plus.

ℛℐ

Les gens bien outillés outillent.
Les personnes qui s'enrichissent enrichissent.

ℛℐ

Il n'est pas défendu de demander les références (livres, revues, sites Internet...) avec lesquelles travaillent ces personnes, la dernière formation à laquelle elles ont participé.

L'hérédité et l'histoire familiale

Avec l'éclairage de plusieurs rencontres avec des parents qui ont mis au monde des enfants qui ont été diagnostiqués « bipolaires », « dépressifs » ou autres, j'ai été amené à penser que l'on ne peut faire autrement que de considérer cette dimension héréditaire comme une composante importante dans plusieurs maladies du cerveau. J'ai eu l'occasion de côtoyer médecins, psychiatres et plusieurs intervenants dans le domaine. Sans dire qu'il y a unanimité à cet effet (et tant mieux!), il convient de dire que l'hérédité constitue une dimension incontournable en ce qui regarde les troubles de santé mentale. Toutefois, même si ce facteur signifie la transmission d'un gène, il n'est absolument pas

78

dit que l'on est destiné à vivre un jour un épisode de maladie parce que l'on semble avoir des prédispositions génétiques. On s'en remettra bien davantage aux facteurs déclencheurs et aux stress qu'ils engendrent.

Croire que l'hérédité s'avère une fatalité pour la personne atteinte risque de court-circuiter son rétablissement. Il peut même conditionner la personne atteinte ainsi que son entourage, comme si la maladie devenait un passage obligé compte tenu de sa génétique. Si notre *focus* tant au plan individuel que collectif s'alignait sur l'amélioration de la qualité de vie et du mieux-être commun, il n'est pas dit que ce facteur héréditaire prendrait autant d'importance.

On entend des opinions bien divergentes dans nos milieux en ce qui regarde ce sujet. L'expérience que je vis jusqu'ici m'amène à penser qu'effectivement, le facteur héréditaire est une composante non négligeable dont on doit tenir compte lorsque l'on regarde l'historique d'un épisode de maladie mentale. Bien des gens y croient, d'autres contestent. Les dernières années m'ont amené à penser que l'on ne peut négliger cet aspect. Quand je rencontre les parents de personnes atteintes, ils sont nombreux à penser qu'avec une vue de recul et une petite recherche dans l'histoire familiale, on y retrouve des personnes dites « suspectes ». Il faut comprendre qu'il y a à peine 30 ou 35 ans, beaucoup moins d'individus étaient diagnostiqués avec justesse. Évidemment, on ne peut alors que présumer. Un texte tiré de la revue BP Canada commente les résultats d'une récente recherche tenue en 2005 aux Pays-Bas :

« Une nouvelle étude démontre que les adolescents ayant un parent atteint de trouble bipolaire sont plus susceptibles de développer cette maladie, ce qui appuie la théorie du lien génétique. Les chercheurs du *Altrecht Institute for Mental Health Care* d'Utrecht ont mené cette étude ciblant les adolescents de parents diagnostiqués sur une période de 5 ans. Les résultats démontrent que sur les 129 jeunes ayant complété l'étude, la prévalence pour le trouble bipolaire était de 10 %. Aussi, la prévalence pour tous les troubles de l'humeur montrait un pourcentage significatif de 40 % dans le groupe. La plupart des adolescents interrogés ont vécu un épisode de dépression unipolaire avant de développer le trouble bipolaire. Les chercheurs concluent en nous mentionnant que parmi les adolescents dont un parent vit un trouble bipolaire, la dépression unipolaire est un facteur de risque pour développer le trouble bipolaire. »[7]

Il nous faut comprendre que des équipes de recherche s'activent à différents endroits sur le globe et les résultats de ces recherches pourraient nous entraîner vers des avenues plus ensoleillées pour certaines personnes atteintes de troubles de santé mentale. Le 19 novembre 2006, dans le quotidien *Le Soleil* de Québec, on apprenait que :

« Une équipe du CHUL, sous la direction du Dr Nicholas Barden est parvenue à découvrir un gène qui prédispose aux dépressions majeures, bipolaires et unipolaires, une découverte qui pourrait transformer les façons de diagnostiquer et de soigner cette maladie. »[8]

---

7. *Genetic link with bipolar stregthened by study results*, BP Canada, automne 2005, p. 8.

8. Texte de Pierre Asselin, « La dépression démystifiée, une équipe de Québec relie la mutation d'un gène à cette maladie », journal *Le Soleil*, le 19 novembre 2006, p. 3.

La découverte de ce gène appelé P2RX7 qui se trouve sur le chromosome 12 est certes une très bonne nouvelle (malgré le fait qu'il existe fort probablement d'autres gènes pouvant jouer un rôle dans la dépression). À tout événement, nous devons constater que des pas de géants ont été effectués depuis l'arrivée du lithium en 1968 qui avait été introduit par le Dr André Villeneuve (Canada) et le Dr Mogens Schou (Danemark). Les résultats des travaux du Dr Barden et de son équipe en sont un bel exemple.

Une importante distinction

Je viens de donner une autre conférence à un auditoire composé en majeure partie de parents et d'amis qui accompagnent des personnes vivant avec un trouble de santé mentale. Non, ce n'est rien d'évident quand on n'a pas l'impression d'avancer. On confond aisément la personne avec la maladie. Il semble, dans la perception de l'entourage et même pour la personne atteinte, que la maladie se confond presque entièrement avec la personne diagnostiquée. Il m'apparaît essentiel de reprendre contact avec la réalité, celle qui fait apparaître la personne d'abord, celle qui est bien sûr voilée par une maladie, mais qui, au fur et à mesure que le brouillard se dissipera, se réappropriera ses pouvoirs. Vous me direz que tout ça ne se fera pas en criant « lapin ». Comment vous contredire?

❧

*Je sais que je projette même encore aujourd'hui cette image
de la maladie. Moi qui est passé par ce chemin tortueux, j'ai
eu beaucoup de difficultés à me retrouver devant l'ampleur des
effets de la maladie.*

❧

Si, dans nos perceptions, nous transformions la maladie mentale en maladie physique, comment réagirions-nous? De toutes façons, toutes ces maladies ne proviennent-elles pas de défaillances physiques (gènes défectueux) au départ? Qu'à cela ne tienne, nos perceptions d'une personne atteinte d'une maladie physique diffèrent beaucoup en comparaison d'une personne vivant avec un trouble de santé mentale. Et ça va beaucoup plus loin. Comme me l'indiquait dernièrement le Dr Audet, la recherche tend à démontrer que plusieurs maladies « du cerveau » sont très reliées au diabète, aux maladies cardiaques, thyroïdiennes et autres.

❧

*Avec toutes ces années heureuses de stabilité, je suis devenu,
au fil du temps, un homme faisant aussi partie de l'entourage de
nombreuses personnes atteintes. J'ai moi-même cette difficulté
à distinguer la personne de la maladie chez certains individus.
C'est pourtant là une clé importante dans la remise sur pied de la
personne et dans le mieux-être de son entourage. Commençons
par identifier une caractéristique positive chez soi ou chez la
personne que nous accompagnons et plaçons-nous en mode
« construction ». Apprenons à voir simplement notre premier pas*

dans le sentier à parcourir plutôt que l'ensemble de la montagne qui est devant.

≈

Cette médication qui préoccupe tant!

Assister à une conférence où il est question de trouble bipolaire et de dépression nous amène à nous questionner sur le rétablissement et la stabilisation. De façon systématique, le sujet de la médication refait surface à chaque occasion. À partir du moment où un diagnostic apparaît, il est presque automatique qu'une prescription fasse son apparition. Dans certains cas, ce sont les préjugés qui prennent place, dans d'autres, c'est la crainte des effets secondaires. Pour un grand nombre, c'est l'apparition d'une « béquille » qui fait en sorte que la personne se sente diminuée, abaissée. Pour de trop nombreuses personnes atteintes, la médication introduite dans le cadre d'un diagnostic de maladie du cerveau n'a pas la même portée que si elle l'était pour un autre type de maladie ou pour une simple grippe. Ainsi, il ne sera pas surprenant d'entendre des questions portant sur l'acceptation de la médication et sur les rechutes dues à l'abandon de cette dernière.

Peut-on apprivoiser la maladie? Comment y arriver? Comment faire en sorte que la personne que j'accompagne n'abandonne pas sa médication? Comment prévenir cette situation qui hante tant de gens?

Oui, c'est là un drame vécu par bien des gens qui accompagnent, qui voient la personne atteinte abandonner ses médicaments. « Je me porte bien depuis un bon bout de temps, je n'en ai plus besoin », « il y a trop d'effets secondaires », « le médicament ne fait pas effet ». Quelques-uns s'en sortent bien, mais trop nombreux sont ceux et celles qui rechutent dans la maladie. Conséquences à cette situation, la dépression qui refait surface et des tentatives de suicide qui font vivre des drames difficiles à surmonter. Dans tous les cas, l'entourage écope.

Cette situation m'indispose grandement. Je ne connais pas de solutions miracles. Certes, on peut parler d'apprivoiser la maladie, de tendre vers son acceptation. Bien sûr, je suis de ceux et celles qui connaissent jusqu'à maintenant la stabilité et qui attribuent une partie de ce succès à la médication. Il y a beaucoup plus (thérapie, entraide, entourage stimulant), mais à l'image de mon beau-père qui avait besoin de son insuline pour contrer les effets de son diabète sévère, je considère primordial que je suive de façon assidue ma posologie en ce qui regarde mon stabilisateur d'humeur (lithium). Abandonner sa médication veut aussi dire jouer avec la chimie de son cerveau et ça ne m'intéresse pas. Un courriel reçu dernièrement en ajoute encore :

> « J'ai été diagnostiquée bipolaire en 1990 alors que j'avais à peine 22 ans. J'ai pris du lithium pendant sept ans et tout allait relativement bien. J'ai arrêté sur les conseils de mon médecin de famille. Deux ans auparavant, j'ai vécu une grossesse sans médication et sans problème, alors il a pensé que je pouvais arrêter. Ce fut une grosse erreur, car la rechute m'attendait dans le détour deux ans après. Cela fait quatre ans déjà que j'ai recommencé le lithium et je peux dire que ça fait environ deux ans que je me sens bien. Je réussis à oublier la maladie et j'y pense rarement. »

Chantal

L'image des médicaments et des compagnies pharmaceutiques qui les produisent n'a pas toujours été reluisante. Toutefois, il est nécessaire de comprendre qu'à la base, les médicaments sont conçus pour soulager l'être humain quand on ne peut y arriver autrement. Je préférerais que la carotte ou le céleri puisse avoir le même effet que le lithium, mais ils ne comportent pas les propriétés nécessaires à la stabilité de mon cerveau. Je souhaiterais moi aussi vivre sans médication, mais je ne suis pas certain que je vivrai cette situation un jour. Pour les personnes secouées par les effets secondaires ou pour qui les médicaments ne produisent pas les effets désirés, l'expérience se vivra de façon douloureuse. Bien difficile d'accepter la maladie et sa médication dans de telles conditions.

J'en suis venu, au fil du temps, à employer le terme *apprivoiser* plutôt que le mot *accepter*. Si je rechutais demain après dix années de stabilité, je balancerais l'acceptation par la fenêtre. Le fait d'apprivoiser me semble coller davantage à la réalité et respecte le fait que je puisse être frustré, découragé ou révolté. J'apprivoise la maladie et la médication. Afin d'y arriver, j'en suis venu à me comparer à une tomate, une tomate savoureuse. Prenez-en une dans vos mains en même temps que moi, regardez-la bien, contemplez-la et prenez le temps de la déguster. Après coup, prenons conscience ensemble que les plants qui produisent ces magnifiques fruits sont soutenus par des tuteurs. Dans ma vie, ces tuteurs symbolisent la médication, la thérapie, les groupes d'entraide et tout ce qui m'a soutenu et qui me soutient encore aujourd'hui.

J'espère que vous aimez les tomates!

Pour nous aider à aller plus loin dans cet apprivoisement, nous avons avantage à regarder ces personnes signifiantes qui osent se prononcer et affirmer l'importance de ces « tomates » dans leur vie. Qu'elles vivent avec un trouble de santé mentale ou une autre maladie nécessitant l'apprivoisement de nouvelles situations, nous avons avantage à nous inspirer de personnes qui n'ont pas peur de ce qu'elles vivent, des mots et des préjugés. On a qu'à penser à Guy Latraverse, Pierre Péladeau, Margaret Trudeau, François Massicotte, Victoria Maxwell, Sven Robinson ou même Bobby Clarke, cet ancien joueur de hockey des Flyers de Philadelphie que je détestais tant comme joueur, mais que j'admire aujourd'hui pour la façon avec laquelle il apprivoise la vie avec un diabète sévère. Et puis, mon beau-père Guy (diabétique), aujourd'hui décédé, m'inspire toujours, chaque jour...

Ces problèmes à surmonter

Considérant la vie comme un ensemble de problèmes à résoudre quotidiennement, comme des défis à relever, j'ai appris, au fil du temps, à les percevoir de façon plus positive. Ne vous en faites pas, j'éprouve aussi des difficultés avec certains problèmes qui me font vivre des émotions que je préférerais voir enfouies sous terre. Je fais de mon mieux mais ce n'est pas toujours facile. Déjà, y faire face demande quelquefois bien du courage, surtout en ce qui regarde les stress majeurs que sont le deuil, la maladie, une perte d'emploi, une séparation. La lourdeur de ces situations demande que l'on prenne tout le temps nécessaire pour les vivre afin qu'elles deviennent des expériences de vie, ces expériences qui nous font grandir. Tout ça semble bien facile à dire mais combien ardu à réaliser. J'observe Pauline (ma charmante belle-mère!) qui vient de perdre son conjoint tout récemment et qui vit bien des bas depuis ce temps malgré des hauts de plus en plus fréquents. Situation bien normale me direz-vous… je la trouverai tout aussi normale. Cependant, attention, on doit apprendre à distinguer le stress vécu du tempérament de la personne. Il existe des gens qui semblent plus positifs que d'autres et qui, malgré un nombre important d'épreuves dans leur vie, marchent la tête bien haute et le sourire aux lèvres. Mon beau-père, Guy, était un merveilleux exemple de résilience. Ma conjointe Fabienne s'avère aussi une personne fort positive malgré le départ de son père et de sa meilleure amie, Simone, en l'espace de quelques mois. Ça ne l'empêche pas d'être pensive encore aujourd'hui, mais elle sait aussi qu'elle n'a pas une minute à perdre pour profiter de chaque instant de cette vie.

Pour moi, maintenant, qui ai vécu un épisode de trouble bipolaire et qui ai pris un an (ce qui est peu!) pour m'en remettre, je fais tout ce que je peux pour accueillir petits et grands problèmes afin de les résoudre de mon mieux. Il faut dire que le mot *problème* n'est pas toujours perçu positivement. Il fait même peur pour un grand nombre d'entre nous. Il est vrai qu'en les percevant comme des montagnes aux parois infranchissables, ils représentent parfois des difficultés insurmontables. Pour ceux et celles les percevant comme une branche en travers d'un sentier, l'attitude développée favorise une résolution beaucoup plus envisageable. L'impact sur le stress et les émotions est direct. Et maintenant, si nous parlions de « défi » au lieu de « problème », comment réagiriez-vous? Et si nous le définissions comme « une étape de vie qui fait grandir…

pour qui le veut », n'aurions-nous pas là une image plus positive favorisant la résolution de celui-ci ou de ceux-ci?

Mon implication des dernières années auprès du Centre d'entraide du trouble affectif bipolaire de Québec m'a permis de réaliser que la résolution des problèmes dans un cadre thérapeutique favorise le rétablissement. Le fait de rencontrer d'autres personnes vivant des situations qui se ressemblent contribue aussi grandement à un retour à une vie plus agréable. Par ailleurs, le fait de ne pas vouloir voir le ou les problèmes qui déclenchent la maladie entraîne des situations de fuite qui favorisent le retour de la maladie ou le plongeon dans un gouffre où il sera difficile d'en sortir.

« L'industrie » de la relation d'aide

Il m'arrive de discuter avec des intervenants du monde de la santé mentale et j'apprends toujours un peu plus chaque fois. Un grand nombre de personnes ressentant le besoin de consulter afin de régler une situation devenue insupportable empruntent la voix d'un monde qui, avec le temps, peut s'avérer fort positif sur le plan du rétablissement. Hélas, le monde de la relation d'aide s'est attiré aussi beaucoup de méfiance. Qu'ils soient travailleurs sociaux, psychiatres, pairs aidants, psychologues, omnipraticiens, animateurs de pastorale ou autres, ils doivent être considérés, au point de départ, comme de simples personnes comme vous et moi. En leur accolant l'une ou l'autre des étiquettes mentionnées, de nombreux préjugés font leur apparition. Nos expériences sont diverses : « Oui, cet organisme peut être bon pour toi… mais pas pour tout le monde », « ma sœur a eu une mauvaise expérience », « tel psychologue, j'en ai bien confiance mais celui-là... », « il y a un travailleur social dans ce centre qui a une bonne réputation », bref, les commentaires et les images varient considérablement d'une personne à l'autre, d'une expérience à l'autre. Mais comment peut-on se retrouver dans ce monde qui, en « fouillant » un peu, traîne son lot de contradictions remettant en question la confiance que l'on peut accorder aux intervenants et intervenantes.

Avant d'aller plus loin dans ce propos, considérons l'élément suivant :

Il existe autour de nous un nombre important d'intervenants et d'intervenantes de différentes formations et ayant des « vécus » significatifs qui agissent de façon très professionnelle auprès de clientèles souvent vulnérables. Ils interviennent selon les besoins réels de la personne qui vient les consulter.

Cette mise au point étant faite, je constate dans nos milieux des situations bien particulières qui me préoccupent. En participant récemment à un colloque de l'Association québécoise de réadaptation psychosociale à Saguenay, j'écoutais un médecin de France noter l'absence de psychologues et de psychiatres lors de l'événement. Il venait nous dire que la collaboration était absente... du moins, au premier coup d'œil. En fait, c'était l'évidence même. Notre monde de la relation d'aide se caractérise par un cantonnement de nombreux intervenants liés à des formations ou à des professions. On se parle finalement très peu et, pendant ce temps, les besoins des personnes atteintes et de leur entourage sont toujours fort importants et pas toujours comblés.

Une petite lumière est apportée par notre médecin français qui nous fait observer qu'actuellement, dans son pays, tous les types d'intervenants, grâce à de grandes associations, réussissent à s'asseoir ensemble pour discuter des grands enjeux. La situation est embryonnaire, mais elle est tout de même porteuse d'espoir.

Une chose est certaine, on doit définitivement considérer qu'un grand nombre d'intervenants ont à cœur le rétablissement. Pour d'aucuns, c'est une passion, une vocation qui dépasse largement les étiquettes liées aux professions ou à la formation. À cet égard, je m'en voudrais de ne pas souligner le peu de reconnaissance vis-à-vis de la valeur que peut représenter les pairs aidants dans le monde de la relation d'aide. Ces individus sont trop souvent mis de côté ou simplement oubliés. On dira d'eux qu'ils sont des « héros » (s'ils s'en sortent), mais de là à les intégrer comme travailleur ou travailleuse auprès de personnes dans le besoin (personnes atteintes, parents et amis, milieux de travail et autres), nous avons tout un chemin à parcourir. Je crois fermement qu'un certain nombre de pairs aidants ayant un vécu significatif sur le plan de la maladie mentale et bénéficiant d'une formation adaptée auraient intérêt à joindre nos équipes de travail. En fait, ce sont ces équipes de travail qui pourraient bénéficier de leurs interventions et de leurs réflexions. Quoi de plus naturel que de rencontrer un pair aidant au rétablissement significatif pour sortir de son isolement et se reconnaître.

« Essentiellement, parce que le fait d'avoir vécu l'expérience dévastatrice de la maladie mentale et de ses conséquences impitoyables sur les plans physique, psychologique et social, suivie d'une lutte épique parsemée d'aléas, de pertes et d'embûches pour se rétablir est un atout majeur pour aider d'autres personnes ayant à traverser la même épreuve longue et très douloureuse. Cette expertise acquise par l'expérience qu'aucune formation profession-nelle n'arrivera à transmettre donne à la personne ayant transcendé cette expérience une intuition, une sensibilité et une vision de l'autre qui souffre, non pas à partir d'une compréhension intellectuelle mais à partir d'un vécu. »[9]

Je souhaite de grandes améliorations à ce niveau, mais je suis bien loin de me bercer d'illusions à ce moment-ci. J'aime toujours me laisser surprendre. Je souhaite l'être encore une fois… et plusieurs fois.

Ces questions qui embarrassent…

Nous avons beaucoup à construire dans ce beau monde où la maladie mentale prend une place toujours plus importante. Les gens qui la vivent comme ceux qui en subissent les contrecoups constatent avec désarroi que le chemin du rétablissement est parsemé d'embûches. Les questions sont nombreuses et elles sont parfois bien embarrassantes :

---

9. Tiré du texte : « L'embauche d'usagers à titre de pourvoyeurs de services de santé mentale », par Daniel Gélinas, revue *Le Partenaire*, vol. 14, n° 1, été 2006, Asso-ciation québécoise de réadaptation psychosociale.

- Comment se fait-il que nous nous retrouvions avec des listes d'attente aussi importantes pour des services auprès de personnes dépressives? Quand on sait ce qu'est une telle maladie, comment peut-on accepter que ces gens se retrouvent sur de telles listes... aussi longtemps?

- Sachant fort bien qu'il est d'intérêt, parfois, de diriger un client potentiel vers un autre intervenant, dans quelle mesure ose-t-on le faire?

- La fréquentation de certains organismes communautaires ou la lecture de bons outils s'avèrent salutaires à bon nombre de personnes dans le besoin. Pour quelle raison (je ne parle pas pour tous, vous le comprendrez) ne dirige-t-on pas une personne vers les ressources nécessaires quand la situation le commande?

- Pourquoi nombre de pairs aidants compétents (et stables) se retrouvent sur une voie d'évitement et ne sont pas encore intégrés dans des équipes d'intervenants, alors qu'ils représentent bien souvent l'espoir pour plusieurs?

- Nous questionner sur la pertinence de l'ensemble de nos actions s'avère une nécessité dans une perspective où nous désirons répondre le plus efficacement possible aux besoins exprimés dans nos communautés. Dans quelle mesure sommes-nous prêts à le faire? Sommes-nous disposés à installer les besoins exprimés des clients au cœur de nos actions?

Toutes ces interrogations semblent porter ombrage au milieu. Gardons toujours à l'esprit qu'il existe plusieurs personnes exceptionnelles dans ce milieu de la relation d'aide. C'est à partir de ces gens, de ces forces vives que l'on doit composer, réfléchir, opérer les changements significatifs et améliorer nos services. Le rétablissement chez plusieurs en dépend. Nous avons toujours plus besoin de modèles de personnes qui mordent dans la vie pour nous faire penser que nous pouvons être heureux et que nous pouvons ainsi prévenir, dans une certaine mesure, les troubles de santé mentale.

Réintégrer le marché du travail

Quand il est question de rétablissement et de stabilité à long terme, la réintégration dans le milieu de travail apparaît comme un facteur incontournable. C'est là un passage bien particulier qui fait peur à de nombreuses personnes atteintes. Il peut s'avérer une belle réussite quand il est bien préparé et qu'il arrive au bon moment. Les craintes d'être jugé et de ne pas être à la hauteur font leur apparition et pourront peser lourd sur le quotidien de plusieurs individus. La réintégration au travail peut aussi devenir une source de stress telle qu'elle obligera la personne à envisager d'autres options. Dans un courriel qui me fut adressé dernièrement, je lisais les phrases suivantes :

« J'ai vécu un épisode semblable au vôtre, avec composantes psychotiques. J'ai repris le travail, mais j'ai dû me réorienter. Je travaillais autrefois comme intervenante sociale; je travaille maintenant comme caissière dans un supermarché. J'ai eu un gros deuil à faire; je suis en effet diplômée en psychologie (maîtrise). »

Danielle

La situation de Danielle n'est pas unique et bon nombre de personnes fortement scolarisées doivent la vivre. Non, ce n'est rien de facile.

Le milieu de travail, pour bien des personnes atteintes, signifie « préjugés ». Certaines personnes ne cacheront pas leur état ou leur diagnostic. C'est un choix qui se défend dans certaines situations où l'on sent l'ouverture d'esprit. C'est le cas de Sylvie qui me disait, à propos de la nécessité de comprendre la maladie dans son milieu de travail :

« Moi, c'est dans mon milieu de travail que j'essaie, en faisant rire les gens à qui je raconte les détails de ma psychose (comme vous dites, ça peut être très comique) de démystifier la maladie. Les gens sont toujours curieux de savoir comment ça se passe et posent des tas de questions. J'ai la chance d'avoir un employeur qui ne rejette pas les gens ayant des problèmes de santé mentale. J'ai donc pu réintégrer mon poste et, comme mes collègues de travail étaient au courant de mon séjour à l'hôpital, je n'ai pas eu envie de faire l'autruche et de me mettre la tête dans le sable. J'ai donc dû faire face à la réalité très vite et je ne le regrette pas. Je ne voulais pas non plus de pitié, ni que l'on me montre du doigt en chuchotant. J'ai donc décidé de foncer et, spontanément, j'ai commencé à parler de ma maladie, en riant moi-même de mes aventures dans le monde imaginaire emprisonné dans mon cerveau. Il n'y a rien de mieux que l'humour pour désamorcer les choses et, si le diagnostic fut difficile à encaisser, par contre, je n'ai jamais eu honte de ma maladie. »

Sylvie

Évidemment, cette situation de Sylvie ne trouve pas écho partout. J'ai relevé un autre courriel qui présente la situation d'un homme qui a fait un autre choix :

« Au moment où la maladie s'est déclarée, mon mari s'occupait de nos deux enfants à temps plein (le plus jeune étant d'âge préscolaire). Sur les conseils de son médecin, il est retourné sur le marché du travail à temps partiel quelques mois plus tard. Il a occupé différents emplois depuis. Il a pris la décision de ne pas informer ses employeurs de sa maladie de peur d'être victime de préjugés. Et puis aussi parce qu'il ne se considère pas seulement comme une personne malade et qu'il estime avoir droit à sa vie privée. Il est conscient que le fait de ne pas en parler n'aide pas à briser les préjugés (il a une formation en psychologie et son père était également maniaco-dépressif), mais il ne veut pas non plus en assumer personnellement les conséquences. »

Céline

Comme on peut le constater, chaque situation est unique. On doit respecter où en est rendu chacun des milieux sur le plan de l'ouverture d'esprit vis-à-vis de ce sujet souvent considéré comme tabou. J'ai bien hâte que nous puissions nous sentir plus à notre aise d'aborder le sujet de la maladie mentale en milieu de travail sans la crainte d'être constamment jugés. Malheureusement, nous devrons encore nous armer de patience.

Arroser sa plante, arroser sa fleur

Nous sommes nombreux à aimer nos plantes et particulièrement nos fleurs. Dire qu'on les aime implique que l'on s'en occupe avec attention. Qu'elles soient vivaces ou saisonnières, nous tentons, du mieux que nous pouvons, d'en prendre soin afin qu'elles soient toujours plus belles. Maintenant, si notre monde était un formidable jardin botanique, que ferions-nous? Nous prendrions soin de nos fleurs et de nos plantes. Comme je serais l'une de ses fleurs, je vivrais donc dans un secteur du jardin, alimenté par une nourriture appropriée, arrosé convenablement tout en profitant d'une température idéale et des autres soins. Quelle serait notre attitude sur la route si nous considérions que chaque conducteur et chaque conductrice était une fleur?

Sur le plan du rétablissement d'une personne souffrant d'un trouble de santé mentale, le parallèle avec les soins de la fleur nous amène à considérer plusieurs éléments qui facilitent l'établissement d'un bon équilibre de vie. On pense particulièrement au sommeil, à la saine alimentation, au respect de notre rythme et de nos limites, aux soins corporels, à l'exercice physique, à l'autodiscipline ainsi qu'à notre bien-être spirituel.

De nombreux livres ont été écrits sur tous ces sujets. Ils sont explicites et nous font réfléchir sur le chemin à emprunter pour nous assurer d'un bon équilibre. Que l'on ait passé par la maladie ou dans une optique de prévention, on a toujours avantage à y revenir. Ces facteurs de base du rétablissement et de la prévention constituent une bonne partie des murs de notre maison. Trop souvent, hélas, aujourd'hui, nous avons tendance à « tricher », sans doute pour aller plus vite et croire que l'on est plus performant. Un sommeil réparateur, une nutrition saine, l'apprivoisement de nos limites, de notre rythme et de nos capacités réelles, le respect de notre médication lorsque bien encadrée par un médecin compétent et responsable, l'importance de prendre soin de son corps par l'exercice physique et tous les soins qui favorisent l'équilibre du corps ainsi que l'autodiscipline qui fait en sorte que je respecte les objectifs que je me donne, voilà donc un programme de vie dont j'ai avantage à faire mien.

Bien sûr, il y a autre chose et cette autre chose, je l'appellerais le vécu de nos passions, ces passions qui nous allument et qui font que les pétales de ma fleur soient grands ouverts et que l'on en perçoive même les reflets de lumière. Je pense particulièrement à tout ce qui touche aux arts.

Claude Dubois résume très bien par la chanson *Besoin pour vivre* ces éléments qui font vivre :

J'ai besoin pour vivre sur terre de rire, de m'amuser
Et surtout de chanter

J'ai besoin de danser avec le monde entier
J'peux pas vivre sans être aimé

J'ai besoin pour vivre sur terre d'essayer que les êtres
Ne manquent jamais de rien
Besoin de travailler rien que pour vous donner
Car je ne pourrais pas exister

J'ai besoin pour vivre sur terre d'aimer et d'être aimé
De prendre et de donner
J'ai besoin de penser et aussi de rêver
À celle qui me fait tant aimer

Claude Dubois

La vie affective

Et celle qui me fait tant aimer...

Dans *Le fragile équilibre*, je raconte cette aventure formidable qui m'a entraîné à L'Isle-aux-Grues. La rencontre de Fabienne fut déterminante dans cette stabilité qui allait s'installer (je ne la tiens jamais pour acquise). « Aimer » et « se savoir aimé » préparent le terrain pour un meilleur avenir. Encore faut-il que l'amour soit réel, qu'il soit sans dépendance. Aimer, partager, rencontrer, échanger, découvrir, faire l'amour follement, toutes les formes d'amour font grandir. Encore faut-il désirer... et être désirable. Et là, je parle de la personne et non pas de la maladie. On parle de valeurs, de caractère, de spiritualité, de capacité à partager et d'attirance physique.

Bien des gens me parlent de l'importance d'aimer et d'être aimés chez les gens atteints et j'ai tendance à croire qu'effectivement les personnes ayant une vie affective agréable ont davantage de chances de vivre une stabilité à long terme. Attention! On peut être seul et sentir l'amour, être très bien. On peut vivre en couple et vivre un amour malsain qui déstabilise constamment. Toutefois, l'amour partagé

98

pleinement entre deux personnes favorise certainement un meilleur équilibre.

Je me sens très privilégié quant à ma vie affective. Dans le fond, c'est un peu comme si je vivais un petit *high* quotidien. Que pourrait-il arriver si Fabienne décédait ou si notre relation devait se détériorer ou même se terminer abruptement pour toutes sortes de raisons? Serais-je dépendant? Je ne crois pas mais c'est possible. Je sais très bien que la maladie pourrait refaire son apparition un jour ou l'autre. Mais pensez-vous un seul instant que je puisse m'éloigner de cette vie affective fort agréable et on ne peut plus saine que je vis? Un instant, je suis venu sur cette planète pour AIMER et je ne me priverai pas.

Vivre avec un diagnostic

Le spectre de la rechute

D epuis maintenant près de dix ans, je vis une période fort agréable qui me permet d'envisager l'avenir avec optimisme. Jamais, au grand jamais, je ne pensais vivre d'autres moments de déprime, surtout pas moi. Ce n'était pas une rechute proprement dite, mais j'avais soudainement très peur que la maladie refasse son apparition. J'ai de bons amis qui vivent ces rechutes annuellement… C'est cette image qui me revenait et qui me hantait en cette fin d'année 2005. La dernière année ne fut certainement pas la meilleure au plan professionnel. L'homme de passion que je suis a vécu plusieurs déceptions en cours de route avec des mandats qui ne me convenaient pas et qui m'ont conduit bien loin de ce que je recherche avant tout, c'est-à-dire la passion. Des choix « questionnables » sans aucun doute. Heureusement, le vignoble et ces gens passionnés du Domaine Royarnois m'apportaient, pendant ce temps, des satisfactions qui alimentaient néanmoins ma flamme. Ajoutons à cela les conférences et formations et je pouvais au moins garder espoir malgré l'instabilité. Cette lumière extraordinaire que m'apporte le partage avec des groupes de gens qui ont le désir de cheminer dans cette vie parfois déroutante me permettait de garder la tête hors de l'eau.

Le dernier mois de l'année fut très difficile avec cette vague qui minait mon moral. Pour la première fois depuis mon épisode majeur de maladie (trouble bipolaire), je me sentais glisser vers une grisaille dans laquelle je ne voulais évidemment pas me retrouver. L'homme perfectionniste que je suis peinait devant l'absence de passion, de mandats intéressants. J'ai bien partagé mes états d'âme avec quelques bons amis et, évidemment, avec Fabienne. Je suis aussi retourné au centre d'entraide pour la soirée de Noël. J'y ai revu des gens qui tentent de cheminer du mieux qu'ils peuvent, des visages tantôt heureux et tantôt tristes. Je me rappelais que je n'étais pas seul à peiner. Cette soirée me fit un grand bien.

Avec l'arrivée du temps des Fêtes, ma conjointe m'incita à « décrocher », à prendre un temps de repos et quoi de mieux que L'Isle-aux-Grues pour y arriver. Il faut dire que mon cerveau était embourbé d'idées, d'anxiété et de craintes de ne pouvoir vraiment me réaliser comme je le désire. Une toute petite randonnée en avion nous mena à destination. Pauline nous y attendait depuis quelques jours. À la vue des paysages, on ne peut faire autrement que de diriger notre esprit vers des éléments plus fondamentaux de la vie. Faire une randonnée, bien respirer et vivre un beau réveillon entouré de personnes aimées, je me sentais revivre tranquillement. Et passer les jours suivants avec Fabienne et Pauline, complètement isolés sur cette île en raison d'une importante tempête de neige, voilà qui me fit grand bien. Ajoutons à cela quelques images du tsunami de 2004 et la lecture du magnifique livre de Marc Vachon *Rebelle sans frontières* qui me rappelle que la vie est si précieuse et fragile à la fois. Voilà qui replace cet esprit souvent très égaré!

J'ai beau en glisser mot lors de conférences, personne n'est à l'abri de périodes plus sombres dans la vie. Ce passage à vide de la fin de l'année aura peut-être été une planche de salut. Une chose est certaine, Dieu que ça me fait peur! Vivre, ne serait-ce qu'un seul instant aussi près de cet état léthargique me retrempant dans cette noirceur me fait frissonner. Je réalise que je ne peux éviter certains stress de la vie qui risquent de m'y entraîner. Toutefois, je suis sans doute mieux « armé » pour y faire face... en toute conscience. Un matin, en ouvrant le téléviseur, M. Jean-Marc Chaput m'a rappelé que, dans la voiture que je conduis (ma vie), je suis assis devant un grand pare-brise sur lequel j'ai avantage à porter mon attention si je désire réellement « mordre dans la vie ». Je suis aussi assis tout près d'un rétroviseur qui peut me faire voir les événements du passé. Celui-ci est certainement essentiel pour tirer nos leçons de vie, mais notre regard continuellement tourné vers le rétroviseur nous conduira assurément à vivre un accident.

Oui, j'ai le goût d'aller de l'avant. Oui, j'ai cette conscience de mon passé, de mes origines. Oui, je conduis ma voiture avec le désir de vivre mes passions. Oui, j'aurai toujours une crainte de vivre la rechute mais...

Nous venons de voir plusieurs facteurs déterminants sur le rétablissement. Ce chemin parfois tortueux est parsemé de stress avec lesquels nous devons évidemment composer et nous adapter continuellement. Nous nous sentons bien, nous reprenons le travail, nous nous impliquons bénévolement ou entreprenons des études. Nous avons le sentiment d'avoir réglé le ou les problèmes qui engendraient tout ce stress et qui, nous le croyons, déclenchaient cet épisode de maladie. On se sent un peu plus fort, plus solide et voilà qu'un nouveau stress majeur (perte d'emploi, déboires financiers, divorce, deuil...) vient nous ébranler. Oui, il y a danger de rechute parce que la vie est aussi « changement ».

Au fil du temps, j'ai côtoyé et je côtoie toujours des personnes pour qui les épisodes de maladie sont annuels. Je les admire mais ils me troublent. Comment se fait-il que ça ne fonctionne pas? Ils sont si brillants! La médication n'arrive pas à faire effet. Peut-être y a-t-il d'autres facteurs qui interfèrent. Je ne sais pas et je ne veux pas les juger. Je les aime et ça me crève le cœur de les voir souffrir. Je les accompagne du mieux que je peux. Peut-être que ce seront eux qui le feront avec moi un autre jour.

Le spectre de la rechute, c'est cette noirceur de la dépression pointant soudainement. C'est aussi, pour plusieurs, penser assurément au suicide, à cette issue semblant libérer de la souffrance, mais en engendrant tout autant pour l'entourage. Non, je n'y ai jamais pensé, mais je vous mentirais si je vous disais que je n'y penserai jamais. Je connais la douleur de la dépression et je ne suis pas convaincu que je répondrais de mes actes si je devais revivre d'autres passages comme celui qui m'a affecté. Qu'à cela ne tienne, je préfère toujours croire que l'on peut vivre une nouvelle vie suivant un épisode majeur de maladie. Le rétablissement y sera pour beaucoup, la prévention aussi. Il restera tout ce que nous ne savons pas encore de ces maladies, tout ce que la recherche nous apportera et l'espoir, toujours l'espoir.

Je suis suspect!

Les étiquettes « dépressif », « bipolaire », « anxieux », « burnout » et toutes les autres conduisent inévitablement notre entourage à nous considérer suspect. Loin de moi l'idée, à ce moment-ci, de vous entraîner sur le chemin de la pitié ou de me plaindre de cet état de fait. Les émotions liées au passage par la maladie mentale sont importantes et elles peuvent ressurgir au moindre petit « écart » de la personne diagnostiquée… même si elle n'a pas vécu d'épisode depuis bien longtemps.

Dernièrement, je recevais un courriel amical d'une personne me suggérant de visionner un diaporama inspirant, une petite réflexion de nature spirituelle. Comme je le fais occasionnellement quand je le juge approprié, je transfère le

courriel à d'autres personnes pour qui j'ai de la considération et qui pourraient être intéressées. Dans ce cas bien
précis, je l'ai donc fait acheminer à mon père à qui je croyais
faire un cadeau, un clin d'œil, une marque d'affection. Ce
dernier alla donc lire son courrier électronique le lendemain.
À l'heure du *lunch*, je reçus un appel de Jean qui était en
pleurs. Je ne comprenais plus rien. Mais que se passait-
t-il? Il avait lu le titre du courriel qui lui a fait penser
instantanément que je pouvais à nouveau me retrouver en
psychose. À cet instant, pour lui, je vivais un délire mystique.
Il était inconsolable. Évidemment, je l'ai « saisi » et rassuré
en lui disant que je n'étais ni en manie ni en psychose ou
en dépression. Ma conjointe communiqua avec lui un peu
plus tard. Vous comprendrez que je ne transférerai plus de
messages électroniques à mon père sans l'en aviser.

Cet exemple montre à quel point les personnes
atteintes peuvent devenir suspectes et combien l'entourage
peut être affecté de façon permanente. Un collègue auteur et
poète, Jean-Yves, compose de petits textes à la manière de
Sol (Marc Favreau) aujourd'hui disparu. S'il n'avait pas le
diagnostic « bipolaire », que dirais-t-on? Ces textes sont fort
originaux et il est sans doute bien « surveillé ». Dans son
livre *La Funambule*, il nous dit :

Ventre de glace et de frimas
Le feu mord
Sans jamais consumer
Ta misère.

Feu cru feu froid
De l'aorte à la veine
Feu dans la gorge
Feu d'un tourment
Qui n'asphyxie pas

Feu noir de l'espoir[10]

La grande majorité des personnes vivant avec un trouble de santé mentale, pour ne pas dire la totalité, vous diront qu'en période de stabilité (temporaire ou permanente), ils demeurent constamment suspects. Peut-on blâmer l'entourage blessé? Une communication efficace permettra certes d'éviter d'être constamment « suspecté ». Toutefois, je ne m'illusionne pas. Moi-même, qui a eu un diagnostic, je porte le regard d'une personne de l'entourage quand je côtoie d'autres personnes vivant avec un diagnostic…, et je suis porté à faire des jugements qui s'avèrent tantôt vrais tantôt faux. Que dire maintenant de cette situation d'éveil qui me fait vivre de nombreuses coïncidences quotidiennement. Je partage cela avec ma conjointe et avec vous maintenant. Gardons le secret si vous le voulez bien!

Quand on aime…

Un site d'enfouissement des préjugés

Vous et moi n'y échappons pas. Malheureusement, nous sommes toutes et tous « juges » sans exception. Observons

---

10. Jean-Yves Roy, *La Funambule*, Ripon, Écrits des Hautes-Terres, 2000, p. 78.

la série de mots suivants et voyons quelle image j'accole à
ceux-ci :

- adolescent
- dépressif
- homosexuel
- schizophrène
- aîné
- handicapé
- nain
- *burnout*
- prêtre
- psychiatre
- afghan
- américain
- lesbienne
- juif

- asiatique
- catholique
- avocat
- palestinien
- psychologue
- anxieux
- musulman
- déficient
- irakien
- chinois
- blanc
- noir
- français
- anglais

Qu'on le veuille ou non, on n'y échappe pas. Notre
« bagage » de vie, notre éducation et nos expériences récentes nous entraînent tout droit vers l'établissement de
nombreux préjugés. Ils s'installent de façon consciente ou
inconsciente. Les médias y jouent sans doute un rôle, mais
il est très facile et même un peu paresseux de notre part de
ne pas dépasser ces images que nous nous forgeons. Et je
n'y échappe pas. Évidemment, la liste aurait pu être allongée
encore bien davantage et s'exprimer avec une terminologie
plus générale :

- Église
- justice
- armée
- maladie mentale
- thérapie
- communautaire
- politicien
- Afrique
- Amérique

Il est bien difficile de s'en sortir. Les préjugés plutôt négatifs sont omniprésents. Mais quoi faire? On ne pourra sans doute y arriver que par l'éducation, par le changement de nos mentalités. Les modèles sont pourtant nombreux et inspirants. Nous n'avons qu'à penser à Gandhi, à l'abbé Pierre, à Mère Teresa ou à Martin Luther. D'autres personnes dans l'ombre œuvrent à enrayer certains préjugés et tabous. Elles sèment dans la bonne terre sans se soucier des « qu'en dira-t-on? ». Elles vivent généralement sans attentes.

Pour tous ces gens qui se disent victimes, nous ne pouvons vivre autrement que par le dépassement des préjugés. Nous avons avantage à les dépasser et devons rechercher le bonheur en vivant pleinement. Quand je regarde un reportage sur les communautés Emmaüs et que j'observe le bonheur dans le regard de plusieurs de ses « membres », je me demande si je vais un jour comprendre en quoi consiste le fait d'être heureux?

Il est vrai que les préjugés peuvent faire mal. Il est aussi vrai que l'on a avantage à travailler dans le sens de l'éducation pour que l'on sache toujours un peu plus. Il faut aussi dire que l'on peut être bien malheureux quand on leur accorde une importance démesurée. Planter des arbres malgré tout, semer malgré tout, n'y a-t-il pas une piste d'action qui puisse permettre de « surfer » au-dessus des préjugés?

Un jour, je me déplace dans une petite localité du Nouveau-Brunswick pour le Salon du livre de l'endroit. J'avais bien hâte d'y aller compte tenu du fait que ce salon jouit d'une excellente réputation auprès des auteurs comme des éditeurs. J'avais déjà vécu l'expérience de cet événement à deux reprises dans le passé. Avec ces gens fort accueillants que j'avais hâte de rencontrer, j'envisageais un magnifique Salon du livre. Tel que prévu, j'y rencontre des personnes toujours aussi chaleureuses et accueillantes. Certains regardent le contenu du livre *Le fragile équilibre*, mais ils se font plus rares que dans les autres salons auxquels j'ai participé antérieurement. Auteur invité, je prononce une conférence devant un petit auditoire. Pendant la présentation, une dame lève la main et m'interroge : « M. Langlois, comment fait-on pour enrayer les tabous? » Jamais cette question ne m'avait été adressée aussi directement. Je venais de saisir et de comprendre l'attitude plutôt réservée des visiteurs au Salon (il ne faudrait pas se faire voir avec un livre traitant d'un sujet aussi tabou par quelqu'un de la famille ou de son entourage…). Il faut dire que j'avais été habitué à moins de réserves et à plus de discussions lors des salons précédents. J'étais confronté!

Dans l'édition d'hiver 2006 de BPCanada, June Rogers nous présente Sven Robinson (ancien député néo-démocrate de la région de Vancouver) qui, en plus d'avoir fait son *coming out* concernant son homosexualité, explique ce qu'il a vécu en quelque sorte suivant le vol qu'il a commis d'un jonc en diamant en avril 2004 et son diagnostic de « bipolaire » qui suivit. Il se présentait alors comme candidat dans Vancouver-centre pour les élections fédérales de 2006 :

« He has a new cause: championing the rights of the mentally ill. "It's like coming out of the closet all over again," he says. This time, it's with my bipolar disorder. The stigma, fear lack of understanding and awareness are the same kind of challenges I faced when I announced I was gay. Back then, my friends and colleagues thought I was committing a political suicide. But I got reelected. My constituents respected my honesty. I believe that they will do the same this time around, too. »[11]

Sven Robinson raconte donc cette impression de sortir à nouveau de l'armoire qu'il a vécu pour une deuxième fois en parlant de son diagnostic de bipolarité. Il faut dire que pour une personnalité publique et politique, faire un tel *coming out* sur son trouble de santé mentale après celui de son homosexualité est devenu un grand défi auquel il a du faire face. Les amis et collègues croyaient même que ces gestes allaient l'entraîner vers un suicide politique. Il nous rappelle, en terminant son propos, que son entourage respecte beaucoup son honnêteté.

M. Robinson a néanmoins perdu son pari lors de cette élection fédérale, mais je ne peux que saluer son courage et sa détermination devant son désir de faire fondre les préjugés liés à la maladie mentale comme pour ceux associés à l'homosexualité.

Un peu partout, autour de nous, nous repérons des personnes qui savent passer au-dessus des préjugés. On les

---

11. June Rogers, *The astonishing Mr. Robinson,* BP Canada, hiver 2006, p.18.

voit apparaître dans diverses sphères d'activités. Partout autour de nous, ces personnes sont non seulement présentes, mais elles s'activent de façon positive. Quelle est maintenant ma part dans cette nécessité d'abolir les préjugés?

Non, ce n'est pas pour demain cette disparition des préjugés. Mais il y a espoir. Chaque geste, aussi petit soit-il, contribuera à ce que l'on sache mieux et que l'on démystifie toujours dans la perspective où nos différences deviendront richesses. Je dois rêver!

À tous ces gens qui osent exposer différentes réalités souvent perçues comme tabous par les livres, les séries télévisées, les films, les articles de journaux ou de revues, les sites Internet intelligemment travaillés, je ne peux que dire : Merci! J'ai souvent l'impression que nous avançons à pas de tortue, mais j'ose croire que nous avançons. À moins que nous avancions vers une époque où une grande partie de la population vivra avec un trouble de santé mentale pendant que l'autre partie (parents, amis, collègues de travail ou d'études) les accompagnera. Personne n'y échappera et tous seront concernés par les préjugés. Voyons Richard!

Prévenir les troubles de santé mentale

T rès beau sujet que celui de la prévention. La volonté y est bien souvent. On sent une nécessité, une urgence même. Mais est-ce qu'une prévention réelle et efficace est possible sur le plan des troubles de santé mentale? Suis-je disposé à réfléchir, à faire une action? Suis-je même conscient de la réalité actuelle? Existe-t-il des moyens pour prévenir et, surtout, pour se donner toutes les chances de vivre une vie heureuse et équilibrée?

Lors de ces années où j'ai cheminé à la suite de ce troublant épisode de maladie mentale, j'ai constaté que l'on se sentait bien indisposé avec le sujet de la prévention de ces maladies. On ne sait réellement à quel saint se vouer même si l'on a entendu parler de saint Michel-Archange, de saint Antoine ou de saint Jean de Dieu, considéré comme le père de la psychiatrie (comme indiqué dans le site Internet du Centre hospitalier Charcot : www.ch-charcot56.fr). Et je comprends très bien toutes ces interrogations, car les réponses qui peuvent assurer une amélioration sentie et de longue durée semblent voilées, voire inexistantes pour plusieurs. Bien sûr, on nous incitera à mieux gérer notre stress, à bien respirer, à mieux manger et à faire de l'exercice physique. Mais pourquoi se prêter à ces exercices si notre maison n'a pas de fondation? En fait, je me demanderais :

Pourquoi chercher à être heureux?

Où se trouve-t-il ce bonheur? J'ai la ferme conviction qu'il se terre au plus profond de nous et qu'il prend racine dans notre enfance. Bien sûr, l'amour de parents attentionnés favorise assurément l'épanouissement éventuel de l'enfant. Ce n'est pas une planche de salut absolue, mais disons simplement que c'est là une base incontournable. L'enfant a certainement besoin d'être aimé, personne ne le niera. Mais comment?

Une rencontre avec mon ami Jean, un formateur d'expérience sur le plan des ressources pour la petite enfance, me permet de constater combien il est important d'examiner cette période cruciale de la vie afin de détecter ces facteurs favorisant l'équilibre mental de l'être humain.

Commencer par le début

Ouvrir les yeux, ne serait-ce que pour quelques instants, nous entraîne assurément vers la petite enfance et, encore plus, vers le sein maternel. Se donner des conditions gagnantes signifie tout d'abord que cette mère qui porte l'enfant en son sein vive dans des conditions de vie appropriées, autant pour elle que pour le fœtus. Ces conditions ne peuvent pas toujours être idéales, mais certaines mères et certains pères ont intérêt à se demander s'ils aiment réellement cet enfant qui viendra. Dès le moment où elle répond « oui » à cette question, elle se place dans une situation où elle peut intervenir sur les facteurs de stress.

Nous savons tous combien les effets de la toxicomanie et de l'alcool sont dévastateurs dans notre société. Avons-nous idée combien ils peuvent l'être pour ce petit être en devenir? Que dire du tabac? Et les conditions de vie de la mère, son niveau de stress pendant la grossesse? Cette grossesse n'a pas à être absolument impeccable, mais l'état de dépendance du fœtus commande la présence de parents et, spécifiquement, d'une mère responsable. La qualité de ces neuf mois correspond à ériger des fondations solides pour une vie. Nous désirons un enfant qui sera en santé et heureux. Comprenons que les facteurs héréditaires s'installeront dès le début et qu'ils seront certainement présents à la « livraison ». Toutefois, ce n'est qu'un facteur, comme nous le rappelle cette citation tirée du livre *Les vilains petits canards!* :

« À coup sûr, les déterminants génétiques existent puisque l'on décrit actuellement sept mille maladies génétiques. Mais ils ne « parlent » que lorsque les erreurs héréditaires empêchent la poursuite des développements harmonieux. Les déterminants génétiques existent, ce qui ne veut pas dire que l'homme soit déterminé « génétiquement ».[12]

Le voilà ce petit être tant attendu. Est-ce vraiment le cas pour tous? Maintenant qu'il y est, comment est-ce que nous, ses parents, arriverons à l'aimer et à l'entraîner sur une route où il sera heureux? Une première mise au point permet de dire que nous n'avons pas à être absolument parfaits dans cette mission d'éducation. Toutefois, éduquer commande l'éveil de la conscience, la compréhension et l'apprivoisement de la vie. Aimer nécessite l'éveil.

Précédemment, quand je parlais de rétablissement, je présentais le mot *aimer* par trois aspects importants.

Autonomie
Responsabilisation
Besoin d'espace!

Sur le plan de l'enfance et de la petite enfance, l'intervention qui vise l'autonomie et la responsabilisation de l'enfant tout en lui permettant de « respirer » est ce qui ressemble le plus au mot *aimer*. Accompagner pour rendre autonome devient une démarche lors de laquelle l'enfant se bâtit une solide estime de soi par la résolution de ses problèmes.

12. Boris Cyrulnik, *Les vilains petits canards*, Paris, Éditions Odile Jacob, 2001, p. 42.

ᘰ

À chaque occasion, aussi petite soit-elle, il est important de profiter de tous ces instants où l'enfant peut faire face à ses problèmes avec succès. Avoir la conviction, pour un jeune, qu'il peut faire face à de nombreux défis avec confiance est un des plus beaux cadeaux que ses parents et ses éducateurs puissent lui transmettre.

ᘰ

Je vois encore trop de parents soustraire leurs jeunes enfants à leurs problèmes, à ces défis significatifs au lieu de les accompagner dans leur résolution. Souvent, la même contrainte se présente : cette démarche nécessite plus de temps. Et, aujourd'hui, on semble disposer de moins de temps… à moins que l'on ait des priorités différentes? Ce père bien imparfait que je suis et qui a passé beaucoup de temps de qualité avec son fils à l'entraîner à résoudre ses problèmes pendant toute sa jeunesse constate combien les bienfaits sont nombreux. Bâtir sa confiance ne se fait pas de n'importe quelle façon. Bâtir la confiance, c'est possible! Et les répercussions éventuelles sur la santé mentale sont évidentes.

L'éducation

Le passage vers l'école marque une transition importante vers un monde qui se doit d'être « branché » vers ces mêmes valeurs d'autonomie et de vie en société. Notre monde de l'éducation est-il celui où l'enfant construit? Est-il celui où l'enfant prend confiance? Est-il celui de l'initiative et de la créativité? Est-il ce monde qui permettra à nos jeunes de s'adapter aux nombreux changements que la vie leur apporte dans les années 2000? Est-il celui où des modèles positifs marquent la vie d'enfants qui en ont bien besoin? Devant un nombre si important de jeunes, garçons surtout, qui « décrochent », que comprenons-nous? Notre système d'éducation est-il conçu pour ces garçons qui ont le goût de bouger?

Tout n'est pas parfait, nous construisons. Je m'en voudrais de ne pas apporter une petite réflexion sur l'insécurité et la grande lourdeur de la tâche de notre personnel enseignant. Il doit aujourd'hui s'occuper de l'éducation de l'enfant, de celle de certains parents (inconscients, non allumés ou simplement démunis) en plus des tâches liées aux programmes, à l'instruction. Cette profession est-elle toujours aussi intéressante qu'elle l'a déjà été? Où trouver l'équilibre dans tout ça? Ce contexte n'est-il pas favorable à l'apparition de troubles de santé mentale?

Ces grandes fêtes sur lesquelles je m'interroge!

Pour fêter et souligner certains exploits, l'être humain a pensé mettre en compétition des réalisations, surtout dans le domaine artistique. Sont apparus ces grands galas mettant en vedette nos artistes sur le plan local, provincial ou international. On met en « compétition » des artisans dans le monde du cinéma, du théâtre, de l'humour, du livre et autres afin de déterminer qui est le ou la meilleur(e). De belles salles de spectacle bien remplies avec des auditoires télévisuels fort intéressés entretiennent à leur manière la tenue de ces événements sous forme « compétitive ». Les grands gagnants seront déterminés pendant que les autres finalistes et ceux et celles qui ne l'auront pas été garderont un beau sourire lors de ces soirées « masquées ». En boutade, j'ajouterais que l'on y perçoit à peine la jalousie et la déception... Au fait, que fête-t-on? Que cherche-t-on par ces événements? Quel message fait-on véhiculer dans la population et, surtout, auprès de notre jeunesse?

Au fil du temps, j'ai eu l'occasion d'assister à quelques galas méritas dans le milieu scolaire. Je ne sais pas si c'est moi qui suis mal fait (Fabienne vous dira sans doute le contraire!), mais je ressens souvent un profond malaise vis-à-vis de tous ces jeunes qui font des efforts exceptionnels pour réussir à leur façon, mais qui rarement verront ces efforts soulignés. Ne doit-on pas se questionner sur le sens de ces galas? Quelle formule adopter pour souligner l'effort, la réussite scolaire, l'amélioration sentie, le talent exceptionnel pour éviter de tomber dans le piège d'une formule plutôt « violente » pour ces jeunes pour qui ce milieu scolaire constitue un passage difficile qui les maintiendra en marge. Nous avons besoin, aujourd'hui, de jeunes qui puissent développer leurs talents, quels qu'ils soient, qui puissent devenir des citoyens capables d'entrer en relation avec les autres et de développer une conscience globale.

Nous avons avantage à nous questionner sur la manière dont ces événements peuvent favoriser une bonne santé mentale pour l'ensemble des individus. Ces fameux galas ne reflètent-ils pas la philosophie de nos institutions, la considération que l'on a pour chacun des élèves et étudiants les fréquentant, sans exception.

Je suis de ceux et celles qui ont déjà gagné des prix dans différents milieux… et qui détestent l'esprit de compétition pas toujours vraiment sain que l'on a accolé aux grands événements. J'ai bien hâte que l'on présente des galas où l'on fêtera un ensemble de réussites, de grandes fêtes qui mettent en valeur des ensembles d'artisans se réunissant pour faire une véritable fête de l'effort de tout un chacun dans un esprit d'enrichissement de la collectivité.

Des modèles demandés

Ils sont fortement en demande ces modèles, surtout ces modèles masculins. Tout au long de cette période où l'enfant façonne son estime de soi, la présence d'hommes signifiants devient une grâce surtout pour les jeunes garçons. Avec nos sociétés où l'enfant voit très peu son père et très peu d'hommes dans son parcours éducatif, la présence d'hommes modèles devient une nécessité. Je me souviens du temps où le fils de ma conjointe est venu demeurer avec nous. Il avait eu le plaisir de croiser sur sa route des enseignants exceptionnels lors de cours de formation professionnelle en montage de lignes et d'élagage. Âgé alors de dix-huit ans, il s'est lancé dans la vie avec l'aide, enfin, de modèles positifs. Fabienne et moi avons alors observé son dos courbé se redresser. La vie devenait soudainement moins lourde et plus intéressante. Il venait d'emprunter cette route de la confiance avec l'apport d'enseignants généreux et passionnés.

Du sein de la mère jusqu'à la période « jeune adulte », l'enfant grandit dans des conditions tantôt favorisantes tantôt inappropriées en regard de sa santé mentale.

ℭℨↄ

Toutefois, ce n'est pas parce que le parcours est tortueux que l'enfant ne peut reprendre la route pleine de lumière. Ce n'est pas parce que la route semble avoir été belle pendant bien des années qu'elle ne deviendra pas hasardeuse plus tard.

ℭℨↄ

Au moins, quand on a mis toutes les chances de son côté pendant l'enfance, les probabilités que nous vivions un jour des troubles de santé mentale sont certainement moindres. Cette situation souhaitable n'apporte pas une absolue assurance à cet effet. La période de l'adolescence, agréable pour d'aucuns et difficile pour d'autres devient déterminante pour bon nombre de jeunes. Si plusieurs parents s'arrachent les cheveux dans certaines situations, nous devons convenir que nos jeunes prennent exemple, qu'on le veuille ou non, sur des modèles positifs ou négatifs dans leurs parcours de vie. La majorité d'entre eux deviendront des personnes responsables et de formidables acteurs pour la société de demain. Avant d'y arriver, il risque de se vivre bien des expériences. En lien avec la maladie mentale, je m'en voudrais de ne pas relever le fait qu'un grand nombre de nos jeunes laissent entrer dans leur corps une substance tel le cannabis dont on tend à banaliser les effets dans l'opinion publique. Saviez-vous qu'il peut activer une schizophrénie potentielle? Saviez-vous que son usage entraîne, chez un nombre de plus en plus grand de ses consommateurs, l'apparition de psychoses? Que dire maintenant des effets de l'ecstasy sur nos neurones? Nous savons très bien que personne n'est à l'abri, mais quand on en est rendu à stimuler son apparition (de façon consciente ou inconsciente), le sentier risque de devenir bien tortueux.

121

Comme je le mentionnais plus tôt, aimer, c'est amener doucement l'enfant vers l'autonomie, la confiance et l'estime de soi. C'est aussi le responsabiliser vis-à-vis de tout ce qui touche à la vie en société, au respect des différences et de notre environnement. Un beau programme tout ça, mais comment? Considérons tout d'abord, comme nous l'avons vu précédemment, que la vie est une suite de défis à relever quotidiennement. Se pourrait-il alors que l'enfant apprenant à résoudre tous ses problèmes, si petits soient-ils, si importants soient-ils, puisse acquérir graduellement confiance et estime de soi? Que fera le pêcheur d'expérience? Donnera-t-il le poisson à son enfant pour qu'il le mange ou lui montrera-t-il à pêcher?

Vouloir toujours faire vite nous déconnecte de ces gestes liés aux valeurs fondamentales. Que l'enfant prenne le temps de résoudre ses problèmes demande que l'on s'y arrête. Bien plus facile de tout lui donner pour « éviter » qu'il soit confronté aux dures réalités, aux défis de la vie. Bien mauvais placement pour l'avenir! Comme adulte, éducateur, je suis là pour accompagner, aimer dans la conscience. Quel plaisir d'apercevoir le sourire d'un enfant, d'un adolescent, lorsqu'il trouve lui-même une solution à un problème!

Éduquer signifie aussi responsabiliser, faire l'apprentissage de la vie en société. Nous vivons en relation avec les autres et nous avons, conséquemment, une responsabilité vis-à-vis de l'ensemble. Nos enfants-rois éprouvent beaucoup de difficulté avec cette dimension et notre monde nous inculque des valeurs souvent contradictoires à cet égard. À quoi bon mettre l'accent sur le « moi » si nous devenons insensibles par rapport au « nous »? Avoir de bonnes notes à l'école et gagner des prix individuels ne sont rien s'ils ne sont acquis en fonction du mieux-être de l'ensemble.

Devenir une meilleure personne...
afin de servir une communauté, une société!

Est-ce que tout cela est réellement possible? Lorsque l'on observe le cœur dessiné précédemment, je remarque un espace à sa base, il est non fermé. Cet espace permet de laisser passer le souffle afin qu'il rayonne. Comme nous ne sommes pas des robots, faire l'apprentissage de l'autonomie et de la responsabilisation commande que l'on soit branché à un ensemble de valeurs de société. Intervenir sur le plan de la santé mentale des individus doit s'opérer de la même façon. Ces actions doivent aussi s'effectuer selon un rythme qui nous est propre et selon nos différents talents et capacités.

Des choix s'imposent

La maladie mentale nous amène très souvent à percevoir la santé comme étant une affaire d'individus. On considère les prédispositions génétiques, on vit un ou des stress majeurs, on déclenche la maladie, on tente de s'en sortir, on y arrive, on n'y arrive pas... mais c'est toujours l'histoire d'une personne. N'y a-t-il pas une autre façon d'examiner le tout?

Les maladies du cerveau sont-elles issues de problématiques individuelles ou pourraient-elles être la manifestation de déséquilibres sur le plan de la façon de vivre et d'être de nos sociétés? Si, au milieu des années 70, l'échelle de Holmes nous amenait à penser que nos troubles de santé étaient déclenchés par des stress de nature individuelle, nous devons maintenant reconnaître qu'une approche plus globale nous permet de suggérer que de formidables stress liés à nos valeurs de société moderne s'additionnent aux autres pour faire surgir des risques accrus de développer la maladie. Nous l'avons vu précédemment, la surconsommation, les pertes d'emplois massives dues à l'instabilité de nos systèmes économiques et à la compétition devenue mondiale, les effets beaucoup plus rapides des réchauffements climatiques, une planète maintenant surpeuplée, la déforestation, la grippe aviaire et d'autres facteurs entraînent maintenant de nouveaux stress qui ne peuvent qu'accentuer les risques de troubles de santé mentale et autres maladies.

En somme, l'addition des tensions de toutes provenances favorise l'éclosion des troubles de santé mentale. Nous ne pouvons maintenant regarder de façon pointue ces troubles en en faisant une histoire d'individus, de cas isolés. Les pourcentages de personnes affectées parlent d'eux-mêmes. Notre monde centré sur le bien-être individuel, sur l'amélioration de la qualité de vie des individus qui semble se faire au détriment de l'ensemble, du « nous ». Nous arrivons à un carrefour où nous avons grandement avantage à penser « communauté », « société », « planète ». À quoi bon tenter d'améliorer mon bien-être s'il ne se fait pas dans le contexte d'un désir de l'ensemble d'être heureux?

« Moi » et « nous »

Cette piste du désir « global » d'être heureux nous entraîne sur d'autres avenues favorisant le changement. Depuis quelques dizaines d'années, dans un souci d'améliorer le mieux-être des individus, nous exploitons de façon aveugle nos ressources naturelles dans le but de posséder plus, de paraître plus et d'avoir tout autant que ce que le voisin a. Ce parcours nous a entraîné, jusqu'ici, vers une surconsommation dont les effets sont percutants sur la nature et les individus. Le réchauffement de la planète est un de ces principaux effets. Au fur et à mesure que nous vivrons les répercussions de cette surconsommation, la planète deviendra toujours plus petite créant une pression fabuleuse sur les individus qui l'habitent. Nous devrons alors prendre des décisions drastiques dont nous sentons déjà l'urgence. On pense à des choix déchirants de type « pollution accrue par rapport à l'emploi de milliers de travailleurs ». En cela, nous rejoignons l'échelle de Holmes et les stress liés à la perte d'emploi.

Ces mises à pied de masse entraînent des répercussions dont on ne peut prévoir toute l'étendue. Lorsque la compagnie CIP a fermé les portes de son usine de Trois-Rivières, combien parmi les 2 000 travailleurs se sont enlevés la vie en se pendant dans leur garde-robe? Nous sommes nombreux à vivre aux crochets de grandes industries, de grandes entreprises multinationales. La compétition à l'échelle mondiale ne peut qu'apporter des changements dans nos modes de vie. Nous n'aurons alors le choix que de penser « globalement », de penser en termes de « nous ».

moi et nous

À un autre niveau, nous n'aurons plus le choix. Cette nature « asservie » à la soif d'avoir plus et au pouvoir de domination du plus fort ne peut qu'entraîner la désolation. Que l'homme s'harmonise avec son milieu naturel devient une absolue nécessité. Vous me direz que nous sommes bien loin de parler de santé mentale proprement dite et je vous dirai que nous n'avons plus le choix de créer ou de recréer des conditions qui favoriseront le bien-être de tous, mais de façon éclairée.

Examinons une situation très actuelle qui nous montre l'urgence d'un choix, celui de la conduite automobile de la grande majorité d'entre nous. Comment avons-nous pu en arriver à créer autant de désordres, d'indiscipline et même, d'anarchie dans notre façon de conduire? Nous avons là la plus belle image d'une société davantage centrée sur le « moi », un « moi » sans conscience. L'omniprésence de conducteurs et conductrices agressifs démontre la mésadaptation à la vie en société. Je suggérerais bien naïvement que chacun et chacune d'entre nous en vienne à considérer chaque conducteur, chaque cycliste et chaque piéton comme un membre de sa famille propre, comme une personne faisant partie de ses meilleurs(es) amis(es). Que se passerait-il?

Je nous laisse le soin d'y songer…

Voyons Richard, tu rêves encore, tu auras besoin de nouveaux médicaments…

126

Penser en fonction de l'ensemble, de la communauté, de la viabilité d'une planète, voilà tout un projet qui touche de plus près que l'on pense le mieux-être et la santé mentale de tous. Une citation tirée du livre *L'émerveillement* de Placide Gaboury présente un portrait bien juste de la situation actuelle :

> « La plupart des humains vivent toute leur existence en oubliant la totalité à laquelle ils appartiennent. Ils n'ont conscience de l'unité supérieure que quand ils sont bébés, et parfois la récupèrent peu avant de mourir. »[13]

« Être » et « Avoir »

Ce deuxième choix opposant l'avoir et l'être déterminera dans quelle mesure nous voulons réellement vivre sur cette planète avec comme objectif le mieux-être de l'ensemble et de tous les individus qui l'habitent.

être et avoir

Les personnes qui me connaissent savent dans quelle mesure je tente de placer l'être et la nature au centre de ma vie. Je ne suis certainement pas un exemple de l'avoir à tout prix… surtout quand je perçois les répercussions que peuvent avoir mes gestes de consommer. Mon bonheur ne dépend absolument pas de ce que je possède. Il est fonction de mes relations avec autrui et dans quelle mesure je

---

13. Flavio Cabobianco, *Je viens du soleil*, Paris, Aureas, 1991.

m'accomplis avec mes talents, mes lacunes, mes qualités et mes défauts. Entre la majorité des objets de consommation et une sortie en nature, seul ou avec Fabienne, vous êtes en mesure de connaître mon choix. Nous avons tellement mis l'accent depuis la révolution industrielle sur l'importance de « posséder » que l'on en est venu à penser qu'il fallait absolument qu'il en soit ainsi pour être heureux. Même nos jeunes enfants et nos adolescents n'y échappent pas en étant continuellement martelés de slogans stimulant exagérément la consommation. Bien facile de se laisser prendre au jeu. Une belle illusion!

Aujourd'hui, pour plusieurs d'entre nous, le téléphone cellulaire et l'ordinateur sont des objets essentiels pour être heureux. Ils font même partie d'un mode de vie pour certains. Je crois qu'il s'agit là d'une parfaite illusion. Ils peuvent être fort pratiques en autant que l'on sache les utiliser judicieusement. Toutefois, ils n'y seront absolument pour rien dans votre bonheur et le mien.

Que l'on me comprenne bien, il est nécessaire « d'avoir », mais la mesure préoccupe. Quand je regarde les effets sur le crédit et sur l'endettement, et je n'y échappe pas, je me demande si nous avons idée de la source de stress formidable que constitue la surconsommation? Avons-nous idée des répercussions sur notre environnement?

L'inspiration de ce jésuite indien, Anthony de Mello, peut sans doute nous faire réfléchir sur ce sujet :

« Lorsqu'on s'accroche aux illusions, on détruit sa vie. Lorsqu'on s'attache à quoi que ce soit, on cesse de vivre. C'est écrit partout dans les Évangiles. On ne se débarrasse de ses illusions que lorsqu'on comprend de quoi elles sont faites. Comprenez-les donc. Comprenez aussi que l'exaltation et les sensations agréables n'ont rien à voir avec le bonheur. Croire qu'on ressent une sensation agréable parce qu'on a satisfait un de ses désirs est une autre illusion. Le désir porte en lui l'angoisse et, tôt ou tard, il vous donnera la gueule de bois. Vous le comprendrez lorsque vous aurez souffert suffisamment. Vous vous nourrissez de sensations agréables. C'est comme si vous nourrissiez un cheval de course avec des friandises. Comme si vous lui donniez du vin et des gâteaux. Ce n'est pas ainsi qu'on nourrit un cheval de course. Cela équivaut à nourrir l'être humain avec des drogues. On ne se remplit pas l'estomac de drogues. On a besoin d'une nourriture solide, adéquate, nutritive; on a besoin de boissons saines. Il est nécessaire que vous compreniez tout cela par vous-mêmes. »[14]

En revanche, que coûte l'investissement dans « l'être »? Nous sommes si nombreux et si isolés à la fois. N'est-ce pas là une réalité qui saute aux yeux?

« Être » demande que l'on prenne le temps, que l'on se débranche de nos cerveaux si embourbés et si conditionnés. Le choix de « l'être » favorise l'équilibre et la reconnaissance de l'être humain comme la plus formidable créature de notre planète.

14. Anthony de Mello, *Quand la conscience s'éveille*, Montréal, Éditions Bellarmin, 1994, p. 141-142.

Des hauts et des bas pour tous

Cette année, comme ce fut le cas depuis que je connais Fabienne, il n'y avait rien de particulier au programme pour la Saint-Valentin. Nous avons toujours pensé que nous devions vivre cette fête chaque jour de l'année. Petites attentions, petites folies pimentent notre quotidien. Pourquoi pas une trêve le 14 février? Cette fête est devenue si commerciale…

Je n'ai pourtant pu résister cette année. J'ai participé à un concours présenté par une station FM de la région. Sur le site Internet, je devais envoyer un petit texte destiné à ma « Valentine ». Si ce texte était choisi, Fabienne allait recevoir la visite des personnages de Tristan et Iseult pour la lecture du texte dans son lieu de travail. Quelques jours plus tard, le téléphone sonne. Fabienne aura une surprise originale le 14 février. Évidemment, je ne lui en parle absolument pas et lui dis même : J'espère que ça ne te dérange pas si la Saint-Valentin de demain ressemble à celle des autres années… Elle acquiesce sans se douter de quoi que ce soit. Le matin de cette journée, convaincue que ce serait une journée comme les autres, elle reçut la visite des deux personnages vers 8 h 15. Surprise, la dame lui demande de quitter la cuisine et de se diriger vers la cafétéria où elle dut se tenir debout sur une chaise devant élèves et enseignants qui furent tout aussi surpris que Fabienne. Après les roses de circonstance qu'elle accepta avec plaisir, Tristan se présenta pour lui lire ce texte charmant. Une jeune fille lui dit : « Que tu es chanceuse Fabienne, ton mari est vraiment charmant, il veut te faire une demande en mariage! ». On pourrait en ajouter, mais je conserverai une petite dose d'humilité. Joueur de tours à mes heures, j'étais bien fier et toujours aussi amoureux.

J'aime les fêtes et je ne les aime pas. Je n'aime pas tout ce qui est commercial à outrance, ça m'apparaît toujours « forcé ». Aussi, si ces célébrations peuvent apparaître amusantes pour plusieurs, elles prennent un tout autre sens pour la personne qui a envie de cet amour et qui ne le vit pas. Il en est assurément de même pour les personnes vivant un deuil ou tout autre événement douloureux. Le plaisir des uns contraste avec la tristesse des autres. Lors de ces journées, notre monde vit une situation ressemblant étrangement au trouble bipolaire. D'aucuns plus *high*, d'aucuns plus *down*. La recherche de plaisir entraînerait-elle plus de variation dans l'humeur de la majorité d'entre nous?

Je ne suis pas de ces gens qui vont abandonner les activités qui me donneront du plaisir demain. Cependant, ma conscience m'indique et m'enseigne que le plaisir évident d'une fête risque d'être suivi d'une baisse sur le plan de l'humeur dans les jours qui suivront. Nous n'avons qu'à nous observer dans nos milieux de travail le lundi à la suite d'une fin de semaine particulièrement agréable. Peut-on prévenir ces situations? Pourraient-elles nous mener sur des chemins de plaisirs artificiels, sur ces routes dont le brouillard nous empêche de voir la réalité?

Quoi faire avec tous ces stress?

Nous en avons parlé avec détails précédemment, nous sommes exposés à une multitude de stress qui ont une influence déterminante sur chacun et chacune d'entre nous. Nous le savons déjà, le stress en soi n'est pas un problème. Il a toujours été présent et il en sera toujours ainsi. Il devient problématique lorsqu'il s'accumule indûment, sans contrôle alors que l'être humain vit avec des limites qui ne peuvent être continuellement repoussées.

On a vu précédemment la quantité phénoménale de stress auxquels nous sommes exposés aujourd'hui. Il s'avère nécessaire, à ce moment-ci, de croire que l'on peut contrôler au moins en partie la gestion de ces stress. J'ai grandement avantage à établir mes limites, à me les imposer et à les imposer à mon entourage. Bien sûr, cette situation risque de déplaire à certaines personnes… mais pas à vous ni à moi, n'est-ce pas? Nous ne pouvons aborder ce sujet sans nécessairement introduire les notions de respect et de communication efficace. Je demeure convaincu qu'un nombre important de situations irritantes pourraient être éliminées avec une communication plus efficace. La majorité des problèmes de couple et dans nos milieux de travail découlent d'une mauvaise communication (et de la notion de pouvoir). Le contenu de nos conversations peut diverger sans créer pour autant de troubles dans nos relations. La majorité de nos conflits résident dans notre façon de communiquer. Se dire les vrais mots dans le respect serait déjà un bon pas, n'est-ce pas? Intéressant, mais il y a encore plus!

Lors des activités de rencontres des groupes d'entraide du Centre d'entraide du trouble affectif bipolaire de Québec (portant maintenant le nom *L'Équilibre* réunissant des personnes vivant avec un trouble de santé mentale, nous utilisons la première heure afin que chacun des participants exprime ses émotions, son « senti » par rapport à ce qu'il vit dans le moment présent. Mon expérience de thérapies m'a aussi entraîné sur ce chemin de l'expression des émotions qui, une fois réalisée, permet de passer à un volet plus rationnel tout en étant plus « dégagé » émotivement.

Je le répète, nos conflits sont souvent issus d'une communication déficiente. Nous éprouvons des problèmes majeurs avec le « comment communiquer ». La peur y est souvent pour beaucoup. À nous de faire face à cette réalité et de passer à l'action.

Avant d'explorer certaines actions que l'on peut entreprendre pour améliorer notre situation, diminuer le niveau de stress et agir positivement sur notre qualité de vie, il m'apparaît essentiel d'être convaincus que nous pouvons améliorer notre situation en ce qui regarde notre santé mentale.

Oui, j'y crois réellement!

Précédemment, nous avons constaté que nous ne pouvions contrôler un certain nombre de stress liés à certains événements de la vie. Le deuil, la maladie, la perte d'emploi, le divorce et la séparation, pour ne nommer que ceux-là, représentent autant de passages de la vie qui déstabilisent à coup sûr. Dans chacun des cas, nous vivons des coupures importantes où nous sommes déstabilisés par le vide qu'ils créent et les conflits de valeurs qu'ils nous font vivre. Bien normal que les émotions surgissent lors de ces occasions. Nous devons tous vivre un jour ces stress majeurs et, conséquemment, nous devons vivre avec les conséquences dont l'apparition de troubles de santé mentale dans certains cas. On aimerait bien pouvoir les éviter mais ils font partie de la vie. La prévention, sur le plan de ces stress, est difficile si ce n'est de réaliser que l'on ne peut y échapper un jour. Bien sûr, on peut améliorer notre situation de couple de bien des façons. On peut le faire aussi au travail. Ce sont là des objectifs que nous aurions tous avantage à se donner. Malgré tous les efforts tendant à améliorer notre qualité de vie, nous ne pourrons échapper, tôt ou tard, à certaines épreuves majeures. Il importe alors d'être bien entourés par des gens qui comprennent que nous avons tout avantage à nous supporter quand ces événements se produisent. Malheureusement, un trop grand nombre de personnes se trouvent isolées en pareilles circonstances, ce qui complique souvent la situation.

Ces irritants qui modifient mon humeur

Des stress irritants apparaissent à la maison, dans mon milieu de travail, à l'école, sur la route et partout. Ils sont si nombreux et deviennent insupportables lorsqu'ils s'accumulent ou lorsqu'ils nous arrivent de façon inattendue. Comme on l'a vu précédemment, ils sont souvent la conséquence de désirs effrénés de posséder plus. Pour d'autres, c'est le stress de ne pas « arriver » à la fin du mois. Nos milieux de travail et nos écoles ressemblent grandement à des bouilloires. Il y a un avantage à les considérer ainsi, elles peuvent être « débranchées » au moins temporairement. Ainsi, nous pouvons nous reconsidérer comme des êtres humains qui ont des limites. Au delà du fait que j'aime être considéré et vivre de nouveaux défis, mon cerveau et mon corps ont des capacités d'emmagasiner limitées que je n'ai pas le choix de respecter même si je suis tenté de les surpasser. Apprivoiser ses limites et les imposer à notre entourage entraîne parfois l'insécurité, mais surtout cette peur parfois maladive de déplaire. Les répercussions de l'absence de résolution des problèmes à ce niveau entraîne l'épuisement, la fatigue, l'insomnie. Nous sommes nombreux à croire qu'ils soient la source de troubles de santé mentale, et d'autres maladies tel le cancer.

Il est fort triste de constater, aujourd'hui, que nous avons autant de difficultés à nous imposer et à imposer nos limites ainsi qu'à dire « non » au bon moment. C'est surtout le lot de ces gens qui travaillent beaucoup. Mais il y a aussi cette pression de gens sans passion qui n'osent rien, qui regardent le train plutôt que de se rendre à la gare et d'y monter. Ils manquent d'initiative ou sont tout simplement paresseux et semblent vivre beaucoup moins de stress que la majorité d'entre nous. Ils déclenchent bien des stress sur leur entourage. Y a-t-il un juste équilibre quelque part?

Une si petite planète, de si grandes tensions...

Nous en avons pris conscience précédemment. Le développement industriel, l'économie de marché et la mondialisation ont des effets directs sur le niveau de stress de l'ensemble des citoyens. Tenter de « prévenir » à ce niveau nous oblige et nous obligera à accomplir des gestes concrets afin de préserver notre qualité de vie. Aujourd'hui, quand un pays comme la Chine (comme d'autres pays en émergence) « éternue », il fait peur. Penser que des masses considérables de travailleurs perdent et perdront leur emploi en raison du développement de l'expertise chinoise et du faible coût de la main d'œuvre de ce pays fait et fera trembler l'Occident. Qui doit s'adapter? Comment le fait-on? Quand les cours du pétrole s'emballent et que le coût de l'essence augmente significativement, le budget de plusieurs familles est directement affecté... et le niveau de stress aussi. Enfin, les effets du réchauffement climatique déclenchent, dans plusieurs secteurs de la planète, des phénomènes naturels qui aggravent et risquent d'aggraver nos conditions de vie aujourd'hui et pour les générations qui suivront.

Je me sens bien triste lorsque je constate tout ce qui se passe sur cette Terre, près de moi, loin de moi. La prévention en santé mentale au début du XXI⁰ siècle touche l'ensemble des habitants de la planète et doit prendre des formes très diverses. Ainsi, tous ces gestes que je peux accomplir pour améliorer la qualité de notre environnement serviront à rehausser d'autant le mieux-être de ses habitants. Chaque geste favorisant l'équilibre environnemental a un effet sur le mieux-être de tous. Bien sûr, de grands intérêts économiques font contrepartie à ces efforts touchant nos milieux de vie. Nous avons des choix à faire et plus nous attendrons, plus ils deviendront déchirants. Au nom du développement économique et du pouvoir qu'il engendre, nous avons puisé de façon souvent aveugle dans nos ressources naturelles et continuons encore à le faire. Nous nous sommes donnés un niveau de vie toujours plus intéressant... du moins en apparence. Nous avons créé l'envie et le désir de pouvoir chez d'autres. Alors, il n'est pas surprenant de voir des pays aux populations importantes tels que le Mexique, la Chine et l'Inde tenter de développer leur économie avec assurance. Ces populations veulent aussi leur part. Nous sommes à l'ère de l'avoir. Les répercussions ne peuvent qu'être frappantes. Comment pouvons-nous penser demeurer compétitifs avec des pays présentant une main d'œuvre beaucoup moins coûteuse? Combien de travailleurs et travailleuses perdront leur emploi? Comment nous adapter à cette nouvelle réalité? Les effets ne peuvent être que foudroyants et affecter la santé mentale de nos populations. Nous n'avons pas à jouer à l'autruche, nous serons toujours plus exposés à des stress liés à nos modes de vie. Peut-on opérer une prévention touchant la santé de l'ensemble quand les intérêts économiques surpassent la préservation même de nos milieux de vie. Comment peut-on espérer une meilleure qualité de vie pour les futures générations quand on n'ose même pas se demander à quoi pourra ressembler la vie sur cette planète dans cinquante ou cent ans? J'aime bien profiter du moment présent. Ça ne veut toutefois pas dire qu'on ne peut pas se projeter dans l'avenir et développer une vision à moyen et à long terme. À l'heure du village planétaire, est-on en mesure de préparer un terrain propice pour l'épanouissement et le mieux-être de ces enfants que l'on dit « aimés ». Est-ce que je les aime vraiment mes enfants? Quelles mesures est-ce que j'entends prendre pour contribuer moi aussi?

Nous pourrions en nommer plusieurs, mais je crois que par-dessus tout, c'est la recherche de l'équilibre de la nature qui doit nécessairement prendre le dessus. Tout geste réalisé en ce sens ne peut qu'avoir des effets positifs sur notre mieux-être. Par contre, tout geste d'agression, de quelque nature que ce soit de notre environnement ne peut qu'entraîner la détérioration de notre mieux-être. La nature ne cherche-t-elle pas continuellement à retrouver son équilibre?

Homme de nature positive, je dois vous confier que ces stress découlant de la situation mondiale m'inquiètent. Il était un temps où nous ne nous soucions que des stress liés à notre situation immédiate pour tenter de résoudre des troubles de santé mentale. Aujourd'hui, ces facteurs de stress sont multiples et entraînent assurément une recrudescence des maladies du cerveau, du cancer et d'autres maladies.

Nous aurons besoin, dans l'avenir, de nouvelles générations de jeunes éveillés et conscientisés, de jeunes qui n'auront pas peur de prendre des décisions parfois déchirantes visant un avenir plus ensoleillé pour chaque citoyen, peu importe la provenance. Ils n'auront pas le choix d'explorer des avenues non empruntées par leurs aînés ou par les générations précédentes, de prendre un soin jaloux de cette nature qui est la base de la vie sur terre et de retourner à des valeurs plus fondamentales au profit d'un mieux-être collectif.

Nous vivons actuellement « l'illusion » du confort, mais tout ça a un coût social qui dépassera bientôt tout ce que l'on aura pu imaginer. Puis-je rester encore les bras croisés et dans l'inconscience? Je peux faire ma part, tu peux faire ta part, nous pouvons y arriver ensemble. Écoutons l'enseignement de David Suzuki :

« L'humanité est une espèce très jeune, récemment sortie des entrailles de la vie. Et quelle magnifique espèce nous sommes : nous pouvons ouvrir les yeux et nous sentir spirituellement transportés par la beauté d'une vallée couverte de forêts ou d'une montagne arctique sous son manteau de glace; nous sommes confondus à la vue des cieux criblés d'étoiles et pénétrés d'un profond respect quand nous entrons dans un lieu sacré. Par la beauté, le mystère et le merveilleux que perçoit et exprime notre cerveau, nous ajoutons une touche spéciale à cette planète.

Mais notre impudente exubérance devant notre inventivité et notre productivité incroyables au XXe siècle nous a fait oublier nos origines. Pour espérer pondérer et diriger la force motrice de notre remarquable technologie, nous devrons nous réapproprier certaines vertus traditionnelles : l'humilité de reconnaître qu'il nous reste encore beaucoup à apprendre; le respect qui nous permettra de protéger et de restaurer la nature; l'amour qui portera nos regards vers de lointains horizons, bien au-delà des prochaines élections, des prochains chèques de paye ou dividendes d'actions. Par-dessus tout, il nous faut reconquérir notre foi en nous-mêmes, en tant que créatures de la Terre vivant en harmonie avec toutes les autres formes de vie. »[15]

L'état de notre santé mentale est intimement lié à l'espoir que nous avons d'une vie agréable, ce qui nous permet de réaliser nos passions et de vivre l'amour.

Des choix importants s'imposent, qu'en pensez-vous?

---

15. Tiré de : *L'équilibre sacré* de David Suzuki, traduit de l'anglais *The Sacred Balance*, Éditions Fides, 2003, p. 253-254.

Les fondations de ma maison

Comme nous l'avons vu plus tôt, lorsque la maladie frappe, la vague est si forte qu'elle semble tout emporter, tout arracher, tout prendre. Je me rappelle cette rencontre avec un homme dont l'enfant d'une trentaine d'années, schizophrène, venait tout juste de faire une tentative de suicide à Montréal. Son épouse était aussi handicapée physiquement, elle ne pouvait marcher. Cet homme m'avait tout de même l'air « solide » mais combien fatigué. Il avait besoin de soutien, d'encouragement, de ressources. À quoi pouvait-il s'accrocher? Le tsunami était passé dans sa vie, dans sa vie de couple, dans sa vie familiale, dans sa vie personnelle. J'avais le goût de le serrer dans mes bras. Le moment était intense, j'en avais des frissons. Je l'ai aiguillé vers une ressource communautaire de la région afin qu'il puisse sortir de son isolement. J'espère qu'il se porte bien aujourd'hui…

Une fois la grande vague passée, et les dégâts constatés, il semble qu'il ne reste plus rien. C'est là, il me semble, une sensation normale et juste.

La bonne nouvelle, c'est qu'il reste toujours les éléments les plus importants de nos vies, nos fondations.

Dans le cœur de la maladie, on ne les sent pas. Nous avons davantage une impression de sables mouvants qui nous emportent. La douleur est trop forte, beaucoup trop forte. Que l'on soit atteint de maladie ou que l'on accompagne une personne atteinte, le désarroi est total. Il nous faudra laisser la vague se retirer avec toute la patience que cela demande avant d'espérer poser à nouveau un pied sur le sol. Tout sera au neutre y compris nos croyances et nos convictions ébranlées. Il arrivera même que ces dernières seront remises en question. Même le « bon Dieu » n'apparaît plus comme le « bon Dieu ». Peut-être nous tournerons-nous vers le ciel pour questionner un être cher dont l'âme nous accompagne. La grande souffrance entraîne la tristesse et la colère. Elle embrouille notre esprit et fait disparaître, au moins momentanément, nos idéaux. Une question apparaît : Pourquoi la maladie, pourquoi la souffrance?

Doit-on tout expliquer? Je me rappelle, il y a quelques années, cette tristesse intense de Lise et de son conjoint qui avaient dû vivre le décès de leur enfant de trois mois décédé pendant son sommeil. Une fois les explications plus médicales apportées, on se questionne toujours. Pourquoi une telle épreuve? À cette question, je me sens impuissant. Je ne crois pas qu'il y ait de réponse. Les risques liés à la condition humaine sans doute... C'est insupportable! Pourquoi tenter mille et une explications?

Il existe une constance pour nombre de personnes vivant ces événements douloureux de la vie. Ils changent nos perceptions et ils peuvent modifier grandement nos convictions et nos croyances. Ces changements se vivent différemment d'une personne à l'autre. Entre la révolte et l'éveil de la conscience, de grandes émotions et de nouvelles sensations se vivent.

Une chose est certaine, pour de nombreuses personnes vivant des passages de vie difficiles, l'épreuve devient planche de salut. Une telle lumière peut-elle vraiment apparaître? Pourquoi pas?

En attente de...

Devant le champ de glaces à L'Isle-aux-Grues, il me semble que le temps s'arrête. Tout est figé. L'Île-au-Canot, l'île de la Corneille, L'île à Deux Têtes, quel paysage particulier! Pour un instant, j'ai une sensation de dépression, mais le vent et le coucher de soleil me font espérer.

Notre monde moderne nous conditionne à exiger toujours plus, à relever le niveau de nos attentes. On attend beaucoup de nos grands athlètes, des résultats scolaires, des performances de nos placements en bourse… quand on peut se les payer, du rendement des employés et de la qualité de notre emploi et du plaisir tant attendu de nos relations amoureuses. Nous attendons…

Quand la maladie mentale arrive, la majorité des personnes atteintes se retrouvent en attente de meilleurs moments de vie. Les parents et amis attendent les améliorations. On les espère grandes, rapides et significatives. Hélas, ce n'est pas toujours le cas, loin de là. Les petits pas vers l'avant nous arrivent bien lentement et on ne les voit pas toujours. Nous aimerions éprouver la joie d'un changement rapide, mais cette attente trouve très rarement un dénouement heureux et instantané.

J'ai souvent la sensation que nous avons avantage à restreindre ces attentes au minimum. Cette longue marche dans le désert qui s'opère dans des conditions difficiles nous amène à espérer l'apparition d'un oasis qui nous donnera espoir, qui permettra d'étancher notre soif au moins pour un instant… en attendant de reprendre la marche et d'espérer encore, un peu plus loin. Le vide, le sable chaud, le champ de glace, que dois-je attendre?

Et si je n'attendais rien, ou presque rien?
Et si la vie me surprenait?

Un reflet sur la glace, une brise printanière, un oasis au loin me permettant de m'abreuver... Finie la course, je patiente maintenant.

Miroir, dis-moi...

Comme la vie me comble de rencontres agréables et opportunes, j'ai eu l'occasion, lors d'un bazar acadien, de croiser Jean-Jacques Lauzier, un homme qui a longuement travaillé au ministère de la Santé du Nouveau-Brunswick. Il fut un des pionniers de la désinstitutionnalisation des services en santé mentale dans cette province du temps de Louis Robichaud. Il a aussi signé la préface du volume *Les hauts et les bas de la maniaco-dépression*, cet ouvrage inspirant qui m'avait tant aidé à la suite de mon épisode majeur de maladie.

Son parcours de vie l'avait amené à explorer d'autres avenues que la psychiatrie traditionnelle. L'harmonie du corps et de l'esprit est devenu son objet de recherche l'amenant à comprendre que l'harmonie constitue la meilleure voie conduisant au mieux-être et à la compréhension de soi. Lors d'une soirée au centre d'entraide de Québec en compagnie de membres et d'intervenants, Jean-Jacques nous a amené sur cette piste : l'apprentissage du contrôle de sa pensée. Il m'a alors aidé à me recentrer sur ma personne, sur mon corps, sur mon énergie par un exercice de respiration. De cette rencontre, j'ai tout particulièrement retenu cet exercice fort simple et efficace pour m'aider à reprendre contact avec mon être. Il nous invita bien simplement à nous regarder dans le miroir au lever afin que nous nous assurions d'être la première personne que nous saluions (positivement) en commençant la journée :

Salut mon beau Richard,
je te souhaite une belle journée!

Vas-y mon vieux, tu vas y arriver!

Je comprends que ta blonde te trouve beau,
bonne journée!

Vivre maintenant

Il semble exister des gens qui ont beaucoup plus de facilité à décrocher des événements de la vie que d'autres. J'y arrive grâce à une conjointe qui me facilite les choses et qui est consciente de cette nécessité. J'y arrive aussi par moi-même malgré certaines difficultés. J'ai toujours ce cerveau dont les idées sont fréquemment en ébullition. Comme la vie nous apporte quotidiennement son lot de problèmes à résoudre ou, plus positivement, de défis à relever, il apparaît bien normal qu'une certaine anxiété, des craintes et certains stress prennent le dessus. La vie moderne entraîne une pression tantôt normale tantôt exagérée. Plusieurs parmi nous sentent constamment cette nécessité de se dépasser, d'être les meilleurs en tout. C'est aussi mon cas. Je m'impose cette pression dans mes activités professionnelles, dans l'éducation de mon fils et même dans ma vie de couple. Je désire être le meilleur. Qu'en est-il de vous? Peut-être devrions-nous former un club des *superman* et des *superwoman*? Je sens que nous serions nombreux à le fréquenter. La pression vient de partout. Conjoint, enfants, adultes, collègues de travail, patron, il semble que ça n'arrête jamais. Mais il y a beaucoup plus. Et il y a aussi cette tentation de « l'avoir à tout prix » qui ajoute encore davantage à ce poids. Augmenter nos revenus pour posséder plus! Et si j'étais la première cause de ces facteurs de stress par ma difficulté à m'imposer des limites et à les imposer à mon entourage? Les recettes varient beaucoup d'une personne à l'autre.

Que faire? Comment y arriver pour éviter ces pièges qui m'ont déjà entraîné une ou plusieurs fois dans la maladie? La solution semble se trouver tout autour de moi. Elle est là, disponible, qui m'attend. Elle est NATURE. Son rythme est différent. J'ai acquis une « vitesse de croisière » qui dépasse la sienne. C'est ce que je pense. J'agis maintenant comme si je ne faisais plus partie de cette nature pourtant si généreuse. Ma recherche pour diminuer mes tensions ne pourrait-elle pas m'y reconduire? Le calme lié à cette nature contraste de plus en plus avec notre quotidien. La beauté d'une plante, si petite soit-elle, d'un animal, d'un oiseau, d'un arbre m'apaise lorsque je rétablis le contact. Il me rapproche des petites choses comme Nicola Ciccone me le rappelle si bien :

> La beauté des petites choses
> Et autres gestes anodins…
> C'est d'aller comme le vent
> Sans penser à demain
> Comme si nous étions libres
> Immortels et sans fin…
>
> C'est de prendre un peu de temps
> Pour soi-même, pour son bien

Et de vivre chaque instant
Comme un nouveau destin…

extrait de la chanson *La beauté des petites choses*
et autres gestes anodins de Nicola Ciccone

Mon contact avec les « petites choses » est assez fréquent. Je m'y oblige même. Que ce soit à L'Isle-aux-Grues ou ailleurs, je tente de me replonger dans cette nature en toute conscience, dans l'éveil. L'essentiel ne s'y trouve-t-il pas? Maintenant, là, maintenant, vous et moi dans cette lecture, tout de suite et rien d'autre. Nous partageons ensemble cet instant. Que demander de plus! Rien! Les tensions tombent, mon anxiété disparaît. Je suis ici, je prends une bonne inspiration, maintenant!

La vie m'a souvent gâté en plaçant sur mon chemin des gens de valeur. Le Dr André Villeneuve qui a signé la préface du livre *Le fragile équilibre* est une de ces personnes admirables. Les quelques fois où je l'ai visité à sa résidence de la banlieue de la ville de Québec m'ont apporté beaucoup. J'ai toujours été fasciné par le calme qui s'y dégageait. Assis face à lui, j'ai toujours eu l'impression d'être soulagé de plusieurs kilos. Pas de pression, que l'accueil et le partage dans le moment présent. Tout cela sous le regard des roselins venus s'abreuver et se nourrir dans les mangeoires installées à l'extérieur, tout près de nous.

Faisons l'inventaire des beaux moments de nos vies et nous nous rendrons compte qu'ils sont des événements vécus uniquement dans le maintenant! Comme je suis bon pour moi, je ne m'en voudrai pas d'éprouver des difficultés à décrocher de tout ce qui entraîne les excès de stress. La nature a toujours été un lieu de prédilection dans ma vie. Les paysages fabuleux du Québec et des pays scandinaves m'ont grandement inspiré. Bien sûr, je pense aux grands espaces, au fleuve, aux fjords, aux montagnes et aux couchers de soleil. Mais il y a beaucoup plus : la beauté des petites choses. Nous cherchons des trésors et les avons sous les pieds, devant nous, autour de nous. On les trouve en nature, on les trouve dans nos villes et villages. Il nous arrive de les piétiner sans nous en rendre compte. La création est si fabuleuse. Je me rappelle m'être étendu sur le sol dans un sentier à Oslo pour examiner les déplacements des escargots. Non, je n'étais pas malade, juste assez « fou » pour le faire. Je réalisais que si je ne m'arrêtais pas, j'allais manquer le bateau, ce magnifique navire appelé « émerveillement ». Lorsque j'accueillais des groupes de jeunes dans un centre de plein air où j'intervenais en compagnie de Daniel, Fernand et Bertrand pour vivre une activité à caractère spirituel dans la nature, nous ne manquions jamais une occasion de découvrir autour de nous les grandes richesses dont nous nous privions en raison de notre course effrénée. Plantes, champignons, fleurs, souches, petits insectes bien particuliers, nous prenions le temps de découvrir cette beauté des petites choses.

Je fais partie d'un trésor fabuleux très bien exprimé dans *L'Alchimiste* de Paulo Coelho et *Le Petit Prince* de Saint-Exupéry.

La quête de l'espoir

À chacune des occasions où je me déplace pour une conférence ou une formation, on me demande de parler

149

d'espoir. « M. Langlois, nous aimerions que vous nous parliez d'espoir. » Les situations difficiles, pour ne pas dire désespérantes, dans lesquelles nous vivons commandent l'apparition de lumières, si petites soient-elles. Le fait de rencontrer une personne résiliente donne espoir. À défaut d'obtenir réponse à toutes nos questions, nous constatons qu'il est possible de nous en sortir de graves impasses.

Le désir ardent d'améliorer une situation, de se sentir mieux, d'être, de vivre pleinement conduit à la résilience. Mais d'où vient cette recherche de l'espoir? N'est-ce pas là une recherche de sens, de sens à nos vies, de sens aux épreuves qui nous affligent. Ce sens à la vie, je le trouve dans mon contact avec ce que je ne peux toucher, voir ou sentir. Je lie continuellement l'espoir à la dimension spirituelle de nos vies. Pourquoi tant de gens résilients empruntent une nouvelle route plus spirituelle? Dans l'édition d'été 2006 de la revue BP Canada, un texte de Nicole Peradotto intitulé *Connecting mind, body and spirit* nous amène à réfléchir sur l'importance de cette dimension au niveau du rétablissement. J'y relève :

> " *Indeed, spirituality is considered such a wellspring of serenity for people who have mental health disorders that it's often referred to as the missing link in treatment. It gives people a hope that medecine and science can't give.* "[16]

Non, ni la science ni la médecine n'arrivent à apporter l'espoir lié à la spiritualité. Cette dernière ne peut être mise

---

16. Nicole Peradotto, *Connecting mind, body & spirit*, BP Canada, été 2006, p.24.

de côté quand vient le temps de parler de rétablissement et
de stabilité. Elle est généralement un facteur très positif dont
on se doit de tenir compte très sérieusement. Hélas, ça ne se
commande pas, ça se vit.

*C*onclusion

Nous l'avons vu tout au long de ce livre, les troubles de santé mentale sont omniprésents. Ils sont la manifestation de situations stressantes que nous vivons jour après jour et qui, combinées à cette dimension génétique plutôt évidente, rendent le passage par la maladie mentale presque inévitable.

Le rétablissement constitue pour les personnes atteintes et pour l'entourage un défi parfois extraordinaire. Reprendre vie, se retrouver malgré un diagnostic, vivre de nouveaux défis avec de nouvelles limites, voilà un programme qui n'est pas évident pour tous et pour toutes. De magnifiques histoires se vivent et d'autres se transforment en romans catastrophes se terminant parfois par le suicide.

Bien sûr, on voit, on sent, on goûte amèrement la maladie. Elle nous dérange, elle nous fatigue, elle ronge notre quotidien. On aimerait bien qu'elle n'existe pas. Un rêve sans doute! Se pourrait-il qu'elle soit là pour nous livrer un message? N'ai-je pas des leçons à tirer comme individu, comme famille, comme milieu de travail, comme peuple, comme être humain tout simplement?

Les facteurs conduisant à l'éclatement de la maladie, au trouble de santé mentale apparaissent tantôt clairs tantôt embrouillés. Qu'en est-il des fondements réels? Au regard de nos statistiques sur les troubles de santé mentale et sur le suicide, nous ne pouvons que réaliser que nos sociétés sont à un point tournant en regard du mieux-être et de la santé des individus. Nous devons être convaincus que la prévention existe et qu'elle passe par nos fondements mêmes, par nos choix de valeurs, par notre désir d'une planète où la vie humaine puisse être agréable et encore bien plus...

« *All you need is love* », disaient-ils...

Pour rejoindre l'auteur, le lecteur est invité à visiter
le site Internet :

www.richardlanglois.ca

ou à lui écrire à l'adresse courriel suivante :

lefragileequilibre@videotron.ca

*B*ibliographie

CABOBIANCO, Flavio. *Je viens du soleil*, Paris, Aureas, 1991.

CYRILNIK, Boris. *Les vilains petits canards*, Paris, Éditions Odile Joseph, 2001.

DE MELLO, Anthony. *Quand la conscience s'éveille,* Éditions Bellarmin, Montréal, 1994.

LAPOINTE, Gilles. *Docteur, aidez-moi!,* Outremont, Éditions Quebecor, 2004.

LAMOTT, Kenneth. *Escape from stress,* Berkley Windhover, 1975.

REEVES, Hubert. *Mal de Terre*, Paris, Éditions du Seuil, 2003.

ROY, Jean-Yves. *La Funambule*, Ripon, Écrits des Hautes-Terres, 2000.

SUZUKI, David. *L'équilibre sacré*, Éditions Fides, 2003.

La bible de Jérusalem, Paris, Les Éditions du Cerf, 1981.

Ressources

Association canadienne pour la santé mentale

Association Revivre
> Site Internet : www.revivre.org

Centre de prévention suicide les Deux Rives
> Site Internet : www.prevention-suicide.qc.ca

Conseil canadien de la sécurité
> Texte intitulé : « La santé mentale et le milieu de travail »
> Site Internet : http://www.safety-council.org/CCS/sujet/
> SST/sante-m.html

Fondation des maladies mentales
> Global Business and Economic Roundtable
> on Addiction and Mental Health, 2004

INRS, Le stress au travail, ED 5021,
> Le point des connaissances sur..., oct. 2003

Mens-Sana
> Site Internet : www.mens-sana.be

Organisation mondiale de la santé, Genève
> 1. Rapport 2001NMH Communications
> 2. Rapport 2006

Références électroniques

Agence Reuters
(site Internet : www.chine.blogs.liberation.fr/pekin/2005/07/
suicide.html)

Site Internet : www.sante.cc
> 1. Encyclopaedia Universalis

Revues et journaux

BPCanada
1. *Preview Issue*
   a. Prost, Stephen *Points to Ponder (Help from parents, partners and pals)*
   b. *Genetic link with bipolar streghtened by study results*
2. *Summer 2006*
   Peradotto, Nicole *Connecting mind, body & spirit*
3. *Winter 2006*
   Rogers, June *The astonishing Mr. Robinson*

Journal de Québec
1. août 2005
2. 19 novembre 2006, *La dépression démystifiée, une équipe de Québec relie la mutation d'un gène à cette maladie*

Journal Les Affaires, 2004
   (Fondation des maladies mentales)

Le Partenaire
   Gélinas, Daniel. « L'embauche d'usagers à titre de pour-voyeurs de services de santé mentale », *Association qué-bécoise de réadaptation psychosociale*

Références discographiques

Bélanger, Daniel. « Opium », tiré de l'album : *Les insomniaques*, 1992.

Ciccone, Nicola. « La beauté des petites choses et autres gestes anodins », tiré de l'album *J't'aime tout court*, 2004.

Dubois, Claude. *Besoin pour vivre*, 1973.

Annexe

Les organismes et sites Internet

International :

Organisation mondiale pour la Santé
www.who.int/fr

Association internationale pour la prévention du suicide
www.med.uio.no/iasp/

Québec – Canada :

Revivre
Association québécoise de soutien aux personnes
souffrant de troubles anxieux, dépressifs ou bipolaires
www.revivre.org

FFAPAMM
Fédération des parents et amis
de là personne atteinte de maladie mentale
www.ffapamm.qc.ca

Association canadienne pour la santé mentale
www.acsm.qc.ca

BPHope (anglais)
www.bphope.com

France :

Croix-Marine
Fédération d'aide à la santé mentale
www.croixmarine.com

UNAFAM
Union nationale des amis et des familles de malades psychiques
www.unafam.org

UNAPEI
Union nationale des associations de parents, de personnes
handicapées mentales et de leurs amis
www.unapei.org

Argos 2001
Association d'aide aux personnes atteintes de troubles bipolaires
(maniaco-dépressifs) et à leur entourage
www.argos.2001.free.fr

Serpsy
Soins Études et recherches en Psychiatrie
www.serpsy.org

Doctissimo
Site d'information sur la santé
www.doctissimo.fr

Belgique :

Mens Sana
Info. critique de vulgarisation sur les maladies mentales graves
www.mens-sana.be

Similes
Familles et amis de familles souffrant de maladies mentales
www.similes.org

Bipolaire.org
Info. Trouble bipolaire
www.bipolaire.org

Suisse:

GRAAP
www.graap.ch